DEUX REMORDS
DE CLAUDE MONET

DU MÊME AUTEUR

Comme un enfant, Le Temps qu'il fait/Lettres du Cabardès, 2003.

Le Ciel entre les feuilles, avec des photographies de Jean-Marie Lecomte, Éd. Noires Terres, 2003.

La Meuse sentimentale, avec des photographies de Jean-Marie Lecomte, Éd. Noires Terres, 2004.

La Tranchée de Calonne, Prix Erckmann-Chatrian, La Table Ronde, 2007.

La Maison du docteur Laheurte, Prix Maurice Genevoix, La Table Ronde, 2009.

Le Corps de la France, Prix littéraire de l'armée de terre Erwan Bergot, La Table Ronde, 2010.

Pour Genevoix, Prix Grand Témoin de la France mutualiste 2013, Prix Georges Sadler de l'Académie de Stanislas de Nancy 2013, La Table Ronde, 2011.

La Grande Guerre vue du ciel, avec des photographies d'Isabelle Helies et Sylvain Pétremand, Perrin, 2013.

Mes Tours de France, La Table Ronde, 2014.

Les Forêts de Ravel, Prix Livres et Musiques du Festival de Deauville 2015, La Table Ronde, 2015.

Visages de Verdun, avec des photographies de l'ECPAD, Perrin, 2016.

MICHEL BERNARD

DEUX REMORDS DE CLAUDE MONET

Roman

LA TABLE RONDE
26, rue de Condé, Paris 6e

ISBN 978-2-7103-8070-2.

editionslatableronde.fr

FRÉDÉRIC

Le 6 décembre 1870, jour de la Saint-Nicolas, un homme de haute taille, aux vêtements de bonne coupe, crottés et fatigués, entrait dans Beaune-la-Rolande. La nuit était tombée, il neigeait. Gaston Bazille marchait depuis deux jours. Venant de Montpellier, il était descendu la veille en gare de Gien et avait traversé la région où campaient les troupes qui huit jours avant avaient livré bataille devant la petite ville. L'armée française formée sur la Loire par le gouvernement de la jeune République, après la débâcle de Sedan et la déchéance de l'Empereur, avait tenté à cet endroit de forcer les lignes allemandes et d'ouvrir la route de Paris assiégé depuis trois mois. Elle avait échoué, et laissé de nombreux morts sur le champ de bataille resté aux mains des Prussiens.

De Gien, après la forêt d'Orléans, le voyageur avait traversé le Gâtinais que l'hiver faisait paraître plus désolé encore. Entre les pâtures à moutons et les bosquets, que parcouraient les volées de corneilles et de choucas, il n'avait croisé que des éléments de l'armée battue. Des isolés, maraudeurs et déserteurs cherchant pitance et bonne fortune, des blessés, des unités qui n'avaient pas donné, en bon ordre, d'autres se reformant, des patrouilles et des sentinelles. La première nuit de son itinéraire, il l'avait passée chez le vicaire de Bellegarde, bien disposé par l'allure bourgeoise de cet homme d'une cinquantaine d'années et ému par la raison de ce déplacement lointain dans un secteur dangereux. Le lendemain, très tôt, il s'était remis en route vers Beaune, en passant par le hameau d'Ormes, où, lui avait dit son hôte, se trouvait un grand nombre des soldats français blessés abandonnés à l'ennemi. La charité des habitants suppléait comme elle le pouvait. Parmi les malheureux qui gisaient dans les pièces pillées, dans les granges, sur la paille souillée, l'homme cherchait son fils, sergent-fourrier au 3e régiment de zouaves. Il interrogeait tous les soldats portant la culotte rouge bouffante, le dolman brodé et la chéchia, et finit par en trouver un qui le connaissait. Le jeune homme, un lieutenant, lui dit que le grand Bazille avait été blessé en même temps que le capitaine d'Armagnac, commandant sa compagnie, mais qu'il n'était pas là et se trouvait sans doute prisonnier des Prussiens.

Cette information recueillie sur place, auprès d'un camarade de combat, en confirmant et précisant celle que lui avaient apportée les gendarmes à Montpellier, lui avait redonné espoir, et avec lui le courage et l'énergie. Il avait alors marché vers Beaune, transi, son sac de voyage à la main, tandis que le vent levait les pans de sa redingote et lui aurait enlevé son chapeau si, comme les soldats, il ne s'était enveloppé la tête d'un mouchoir. À chaque patrouille prussienne, Gaston Bazille avait déclaré qu'il cherchait son fils, blessé au combat. Il se faisait comprendre avec difficulté, mais sa peine, sa fatigue, l'habitude de commander et un air de dignité simple en imposaient. Chaque fois, le chef l'avait laissé passer. Quand il arriva au poste de garde, on le conduisit à un officier qui parlait français. Il put s'expliquer et un laissez-passer lui fut délivré. Le soir même, il entrait dans Beaune-la-Rolande tenue par l'ennemi. Il se souvint que c'était l'anniversaire de son fils. Il aurait eu vingt-neuf ans ce 6 décembre 1870.

Le vicaire de Bellegarde lui avait remis une lettre de recommandation pour le curé de Beaune, Augustin Boudart, qui fit bon accueil à Gaston Bazille. Il partagea avec lui la soupe, en lui cédant sa place, le dos à la cheminée. Les mots du bénédicité, communs aux deux cultes, et ceux du malheur national nouaient un lien étroit entre l'ecclésiastique du pays de Loire et le protestant languedocien. Il dormit au presbytère. Le lendemain matin, il fut présenté à l'abbé Cornet, qui avait fait le séminaire en Alsace et parlait allemand. Munis du sauf-conduit procuré par l'occupant, ils se rendirent sur le champ de bataille. Nulle part dans les listes de prisonniers dressées par le vainqueur, ni dans le parc où ils étaient tenus en attendant le transfert en Prusse, ni dans les ambulances où ils étaient soignés, ne figurait le nom de Frédéric Bazille. L'espoir qu'il fût encore vivant ne tenait plus à grand-chose, mais il fallait savoir, et, s'il était mort, retrouver son corps. Le matin suivant la bataille, les Prussiens avaient autorisé les habitants à aller relever les blessés et assister les agonisants. Ils avaient aussi réquisitionné des ouvriers pour leur faire enfouir sur place les cadavres. L'abbé se souvenait d'avoir béni dans une fosse commune les corps de zouaves, dont l'un, un sous-lieutenant, un beau jeune homme, était particulièrement remarquable par sa grande taille. Le voyageur cherchait un sous-officier, un sergent.

La plaine située à l'ouest de Beaune, devant les murs du cimetière en particulier, présentait un spectacle consternant. Sous le ciel charbonneux, dans les champs enneigés, on voyait répandus les débris d'équipements – armes rompues, tambours crevés, képis sanglants, bidons, gamelles – des régiments décimés. Gaston Bazille reconnaissait les matériels de l'armée française, que les revues militaires et les permissionnaires avaient rendus familiers aux résidents des villes de garnison. La neige qui les avait recouverts en partie rendait plus sinistres encore les formes émergées des épaves, noirs grumeaux dans les étendues livides. L'abbé avait demandé à deux des hommes qui avaient creusé la fosse, nommés Arrault et Toussaint, de les accompagner. Gaston Bazille leur avait promis quarante francs pour qu'ils refassent, à l'envers, les gestes accomplis la veille sous la contrainte. De leurs pelles, ils avaient décapé la couche de givre et l'abbé avait déplanté la croix de bois provisoire du tumulus. Les deux fossoyeurs de hasard fouillèrent jusqu'à ce que le bleu des dolmans et le rouge des culottes affleurent. En travaillant, avec précaution, ils approchaient les fers de leurs outils des mains et des têtes des soldats morts, nues dans la terre.

Enfin apparut le cadavre du grand zouave dont parlait l'abbé. Le froid intense avait parfaitement conservé l'aspect du mort. Les deux hommes laissèrent leurs outils pour le dégager manuellement, l'empoignèrent aux jambes et aux épaules, le hissèrent jusqu'au bord de la fosse où ils le déposèrent doucement. Ses galons neufs de sous-lieutenant faisaient poindre des reflets d'or insolites parmi les silhouettes en noir dans le jour sans soleil. En deux endroits, marqués de larges taches sombres durcies par le gel, le sang avait imbibé le tissu de l'uniforme : sur une manche trouée par une balle, sur sa capote et sa chemise déboutonnées, à l'endroit de la blessure au ventre dont il était mort. Sa barbe châtain était mêlée d'humus. Comme personne n'avait fermé ses paupières après l'agonie, au milieu du marbre du visage les yeux sans regard étaient ouverts sur le ciel. Leurs pupilles à peine piquetées de grains de terre étaient du même bleu que celles du père. La ressemblance entre le mort et le vivant était évidente. Gaston Bazille tomba à genoux, au pied des trois hommes. Il saisit la main droite de son fils et, en se courbant, replié sur lui-même, pressa ses lèvres dessus. Il étouffait sa plainte. Les assistants, des hommes rudes, en avaient beaucoup vu depuis huit jours ; ils furent surpris et soulagés de leurs propres larmes.

La dépouille fut chargée sur une charrette, recouverte d'une bâche et emmenée à Beaune. Ses pieds sur lesquels tire-bouchonnaient les chaussettes – les bottes avaient été récupérées après la mort – dépassaient et tressautaient au gré des accidents du chemin. Le père marchait silencieusement derrière, le chapeau à la main malgré le froid et la neige qui s'était remise à tomber. L'abbé, à côté de lui, qui ne savait s'il devait accompagner des prières d'usage le corps de ce huguenot qu'il venait de déterrer, murmurait de temps en temps la prière identique dans les deux religions : « Notre père qui êtes aux cieux, que votre nom soit sanctifié, que votre règne vienne, que votre volonté soit faite sur la terre comme au ciel… et délivrez-nous du mal. » Le corps de Frédéric fut déposé dans une salle du presbytère et son père resta à le veiller. Lorsqu'il s'endormit sur sa chaise, le curé jeta sur lui une couverture et veilla à son tour.

L'abbé était entre-temps parvenu à convaincre un menuisier parmi ses bons paroissiens de fabriquer en urgence un cercueil pour le transport du corps du jeune officier. Comme les Prussiens avaient pris toutes les planches disponibles dans la ville, l'artisan assembla des planchettes destinées à la confection de boîtes de biscuits. Dans le coffre fut logé le grand cadavre, calé avec du foin. Gaston Bazille aida l'artisan à enclouer le couvercle. Il n'y avait plus en ville un seul cheval, ou même une mule ou un bœuf pour tirer une voiture. L'abbé s'était à nouveau entremis pour convaincre un maraîcher de vendre sa charrette à bras au père de ce jeune officier français monté du Midi pour se faire tuer devant le bourg. Le lendemain matin, dès l'aube, un bourgeois poussant une charrette quitta Beaune-la-Rolande par la porte du sud. Attelé à ses brancards, Gaston Bazille faisait rouler devant lui la grinçante plate-forme. Il avait ficelé dessus la caisse qui contenait le cadavre de son fils.

On n'avait pas connu un hiver aussi rigoureux depuis longtemps. C'était toujours pareil, à croire que la guerre attirait sur le pays, comme pour renchérir sur la violence des hommes, les neiges épaisses et les lourdes glaces. Pendant cinq jours, l'homme en redingote et chapeau melon fit rouler la charrette funèbre sur les routes du Loiret. À Gien, à cause de l'incertitude sur les mouvements des armées ennemies, le train ne passait plus. Il dut aller jusqu'à la gare d'Issoudun pour enfin pouvoir embarquer avec son chargement. Le patricien de Montpellier avait fait plus de cent cinquante kilomètres à travers la Sologne et le Berry, couchant dans une auberge quand il y en avait, à défaut dans une grange, ainsi attelé à la charrette qui n'avait jamais fait un si long voyage. Ses mains, à force de pousser sur les manches dans les côtes, de les retenir dans les descentes, de maintenir et de renouer les cordes sur la caisse, étaient devenues presque aussi rouges et dures, sous les gants de peau crevés, que celles des paysans de son domaine viticole. Parfois, un chemineau, qu'il récompensait généreusement, voulait bien l'aider entre deux villages et s'attelait avec lui à la charrette. Les gens regardaient passer sans réel étonnement l'étrange équipage du grand bourgeois et du loqueteux. C'était la guerre, on en voyait d'autres.

Le dernier soir, la veille de l'arrivée à Issoudun, à Reuilly, un gros bourg, des paysans patriotes, soupçonneux, armés de gourdins, étaient venus le chercher dans l'auberge où il dînait pour le conduire à la maison commune. Là, le maire fit subir un interrogatoire à celui qu'on prenait pour un espion. Malgré ses protestations, il dut ouvrir la caisse. Quand apparut aux citoyens zélés le cadavre dans son uniforme d'officier français croûteux de boue et de sang, et qu'ils purent constater la ressemblance entre le visage du mort et celui du vivant, ils furent saisis d'une grande honte, s'excusèrent et proposèrent leur aide. Gaston Bazille la refusa, ainsi que l'invitation du maire à dîner.

Le train qui l'emmenait à Montpellier à petite allure était bondé de civils et de militaires. Malgré le froid et la neige, la cohue débordait sur les marchepieds et les tampons. S'y agrégeaient des paysans, des fermières chargés de paniers. Ils allaient au marché, comme chaque semaine, guerre ou pas. Le chef de gare, compatissant, avait ordonné que soit casée derrière le tender la grande boîte déjà ébranlée par le périple. Dans ce climat d'invasion où l'ennemi avait pénétré jusqu'aux côtes normandes et aux ponts de la Loire, investi la capitale, obligeant le gouvernement de la République, après Tours, à se replier à Bordeaux, plus rien ne surprenait. Le renoncement et les calculs d'épicier se mêlaient au dévouement civique et aux démonstrations des patriotes. Le père du soldat mort avait fendu cette foule cauteleuse et bravache avec autorité. Parmi les uniformes de toutes armes, il aperçut un officier des zouaves blessé dont le képi portait le numéro 3, celui du régiment de Frédéric. C'était le capitaine d'Armagnac qui, désormais inapte au combat, s'en retournait au dépôt de son unité, à Montpellier. Dans la voiture où ils se rencognèrent, tassés avec les passagers de la guerre, tandis qu'à la fenêtre se succédaient les paysages d'hiver du cœur de la France, il connut dans quelles circonstances le régiment de son fils avait été engagé dans la bataille et comment celui-ci avait été mortellement blessé.

Frédéric fut inhumé au cimetière protestant de la ville deux jours après le retour à Montpellier. La cérémonie au temple avait accueilli des catholiques qui se mêlèrent ensuite au cortège. Le corps fut descendu en terre une seconde fois, dans un cercueil de chêne ciré, à poignées de laiton. La famille était rassemblée là, devant la fosse, le père et la mère, très droits, dans la sérénité douloureuse d'un chagrin pour la vie, entourée par les amis, les relations et des représentants de la municipalité où Gaston Bazille était estimé. Dans cette guerre malheureuse, les enfants de notables n'étaient pas si nombreux à tomber au champ d'honneur. On avait su que le fils Bazille s'était engagé dès le début de l'invasion. Pourtant, il n'avait pas fait de service militaire. Son père, comme cela se pratiquait dans les familles aisées, lui avait acheté un remplaçant lorsque le tirage au sort l'avait désigné pour le service de sept ans. On répétait que non seulement il s'était porté volontaire, mais qu'il avait demandé à servir dans les zouaves, un corps d'élite, très exposé, qu'il avait été nommé sous-lieutenant la veille de la bataille et que, dirigeant l'assaut de sa section, il en était mort.

Rien ne l'obligeait à y aller. Tous avaient cette pensée en regardant descendre dans le rectangle de terre ouverte le cercueil et le pâle reflet de la lumière de décembre sur son couvercle. Quel gâchis ! Les cyprès, lanternes des morts au soleil de la Méditerranée, fusaient au-dessus des murs du cimetière. Ils avaient remplacé pour le peintre Frédéric Bazille les aulnes de la plaine gâtinaise où étaient restés les camarades de combat du sous-lieutenant du 3e zouaves. Les domestiques, les jours suivants, allumèrent le feu avec le bois blanc de la caisse du menuisier de Beaune. Au curé de la petite ville, à son vicaire et aux paroissiens qui avaient été si obligeants ce soir d'une Saint-Nicolas de guerre, et dont l'hospitalité demeurait au cœur de Gaston Bazille un souvenir fraternel au milieu de la semaine la plus terrible de sa vie, la famille fit parvenir quelques mois après, la paix revenue, un tableau peint par Frédéric. Il s'agissait d'une copie du *Mariage mystique de sainte*

Catherine de Véronèse, que le jeune homme, pour se faire la main, avait réalisée au musée Fabre de Montpellier pendant ses vacances d'étudiant. Le curé fit accrocher le tableau aux couleurs chatoyantes dans son église et dit une messe en mémoire du jeune peintre venu se faire tuer sous les murs de la ville, l'hiver précédent.

Un an auparavant, pendant l'été de 1870, comme chaque année depuis qu'il était monté à Paris pour achever ses études de médecine, selon le vœu de son père, en réalité afin de donner libre cours à sa passion de peindre, Frédéric Bazille avait quitté son atelier de la rue des Beaux-Arts et ses amis parisiens pour passer les vacances dans la propriété familiale, sur les hauteurs de Montpellier. Aux premières chaleurs, la famille quittait le centre de la ville et s'installait à quelques kilomètres au nord-est, dans son domaine de Méric, dont la terrasse domine la vallée du Lez et les villages alentour. Frédéric était heureux de retrouver le pays natal, la sèche odeur du thym, le parfum de la lavande et l'amertume exaltée du buis, l'assourdissant cisaillement des cigales. Il évaluait le gris poussière et le noir des plantes grandies dans les plis du roc éblouissant, le bleu presque blanc du ciel du matin, filé des reflets verts de la mer proche, et en dessous, dans l'ordre que leur avait donné son père, les longs traits de la vigne.

Tôt levé, il reprenait les habitudes de l'enfance. D'abord, la visite au parc, aux arbres préférés, la station au bout du domaine, devant la plaine, puis le bol de café sucré servi très chaud par la cuisinière dans l'office. Il le buvait debout, un coude sur le buffet, à petites lampées et en se brûlant les lèvres, tout en causant avec elle. Il allait finir de le boire dehors, sous l'ombre des marronniers. Assis sur la margelle de la terrasse, encore fraîche de l'aube, il regardait en contrebas son père et le régisseur apprécier l'évolution du raisin et mettre au point le programme de travail de la journée. Les deux hommes étaient au milieu des vignes comme des nageurs dans la mer. Frédéric rejoignait ensuite sa mère pour prendre le petit déjeuner à la table de la salle à manger et parler avec elle des uns et des autres, de la famille et des amis, et des événements de l'art, à Montpellier et à Paris.

C'était là, dans ce climat, devant ces paysages, qu'il sentait sa manière s'épanouir, entrer en accord intime avec le monde. Ses meilleurs tableaux, les plus ressemblants à lui-même, il les avait faits ici. Le mot « lumière » qu'il disait à Paris quand il parlait peinture avec ses camarades d'atelier et ses amis, Monet, Renoir et Sisley, ce mot qui exprimait ce qu'il voulait, comme eux, saisir et rendre sur la toile, c'est ici qu'il s'était gorgé de sens, de matière. Il lui semblait que son sang était mêlé de cette lumière du Midi. Sa peau l'aimait. Elle se hâlait peu de jours après qu'il avait vidé le contenu de sa malle dans sa chambre d'enfant et, en deux claquements contre le mur, en avait ouvert les volets. Il pouvait en aimer d'autres, peut-être plus subtiles, plus mobiles, plus raffinées, mais c'est celle-ci qui lui était accordée, précise, rigoureuse, comme la religion de ses ancêtres. Elle ne trompait pas et disait la vérité des êtres et des choses. Nulle part sur terre, il en avait la certitude, il ne serait mieux adapté, plus présent au monde que dans cette lumière languedocienne.

Son père avait fini par se résigner à ce qu'il n'achève pas ses études et s'adonne entièrement à sa vocation de peintre. Cela paraissait à l'ingénieur agronome, fils d'artisan et petit-fils d'artisan réputés, toujours aussi déraisonnable et peu rassurant pour l'avenir de Frédéric, mais son talent était évident et il avait admiré l'assiduité, l'opiniâtreté dont il avait fait preuve. Son fils serait digne de la lignée. Il reconnaissait en lui la force vitale du cep planté sur un sol caillouteux. En obligeant la vigne à chercher l'eau et la substance nourricière profondément dans la terre revêche, on obtenait d'elle le raisin essentiel, puissant, concentré, source d'un vin aux saveurs étonnantes et complexes, où le goût du fruit passait celui de l'alcool. Gaston Bazille n'avait pas eu besoin des premiers éloges publiés par la presse sur les œuvres de son cadet pour reconnaître en l'amateur doué un artiste prometteur. *La Réunion de famille*, peinte pendant l'été de 1867, avait fait l'admiration de tous ceux qu'elle représentait : parents, oncles et tantes, sœur, frère et cousines. Chacun avait été saisi dans sa personnalité, telle qu'elle était aimée du peintre depuis l'enfance. Comme les arbres du paysage familier, l'amour des siens avait grandi avec lui et s'épanouissait dans l'harmonie simple et naturelle de la composition.

Gaston Bazille, dont le long visage sévère, saisi de profil, à l'antique, dominait le groupe, avait été le plus ému. Il était le seul dont les yeux n'étaient pas tournés vers le peintre, comme si le fils, jusque dans la représentation de son affection, avait voulu échapper au regard du père. Frédéric l'avait tout entier, visage, buste et jambes, orienté vers la campagne, le vignoble, objet de ses soins, ce domaine agricole qui nourrissait et garantissait, par son bel ordre et sa fécondité, l'avenir de sa famille et celui de son pays. La terre avait pris la marque de sa pensée et de son imagination. Elle conserverait longtemps sa mémoire.

La piété filiale et l'attachement à la famille dont témoignait le tableau, l'intention déclarée du peintre, plaisaient évidemment à Gaston Bazille. Pourtant, plus que les figures humaines, ce qui dans l'image le touchait au cœur était ce marronnier dont le large et puissant éventail de feuilles ombrait et rafraîchissait les personnages. Cet arbre jeune encore, il l'avait planté de ses mains à la naissance de Frédéric. Il aimait aussi ce grand cèdre qui étageait ses branches au loin, dans l'outremer. Les deux arbres étaient magistralement rendus. Ils liaient le sol au ciel et murmuraient la bonté de la nature et son amitié avec l'homme. Dieu était là.

Gaston Bazille, après le déjeuner des funérailles dans l'appartement de Montpellier, était allé à la maison de Méric pour revoir le tableau de son fils au mur du salon. Le grand garçon s'était représenté modestement, presque timidement, à l'extrémité gauche de la toile, derrière son oncle Eugène fumant le cigare. Le neveu le dominait, du haut de son mètre quatre-vingt-huit, d'une tête au moins. C'était bien lui, avec sa barbe châtain clair et son grand front, ses traits un peu incertains, presque effacés, où s'accentuait, par contraste, l'intensité du regard. De la scène peinte il y avait trois ans, Frédéric était le seul manquant. Pourtant, c'est par lui que tous ensemble, hommes, femmes, arbres restaient noués, pris dans l'instant, comme l'empreinte d'animaux et de fougères antédiluviennes conservés dans un morceau d'ambre. Sur la toile aux vives couleurs, le sillage de leur affection persisterait quand ils ne seraient plus. Et ce parc, cette campagne ratissée, arrosée comme un jardin, l'œuvre de sa vie se prolongerait dans celle de son fils sacrifié. Il jeta un drap sur le tableau, ferma les volets du salon et tourna la clé dans la serrure. Il ne reviendrait pas avant l'été. À cette pensée, ce prochain été sans Frédéric, le premier sans lui à Méric, il lui sembla qu'une aiguille d'acier lui traversait le cœur. Il venait de penser à sa femme.

La dernière saison passée au domaine avec Frédéric, pendant les vacances de 1870, avait été celle de la catastrophe. Le 19 juillet, la déclaration de guerre à la Prusse d'un régime usé et prétentieux, en quête de jouvence dans le sang répandu de la jeunesse, avait mis le pays sens dessus dessous. Les mauvaises nouvelles avaient très vite afflué. Après les premières déconvenues meurtrières en Alsace et en Lorraine, à Wissembourg, Woerth, Forbach, les armées prussiennes étaient entrées en France et marchaient sur Paris. Cela avait décidé Frédéric, le doux et rêveur Frédéric, à s'engager. Il avait lui aussi trouvé stupide ce conflit, stupide ce régime à bout de souffle, stupides ces généraux carriéristes ressassant les nostalgies impériales. La défaite et l'invasion changeaient tout. Le pays était malheureux, la France était blessée, il fallait faire son devoir.

Le 10 août, quatre jours après Froeschwiller, il alla se présenter au bureau de recrutement de Montpellier et souscrivit un engagement pour la durée de la guerre au 3e régiment de zouaves. Sa mère avait eu beau le supplier de renoncer à ce qu'elle appelait une folie, il n'avait rien voulu savoir. Son père n'avait pas vraiment objecté. Il aurait agi de la même manière à sa place, au même âge, mais lui avait conseillé de demander à servir comme infirmier, puisqu'il avait une formation avancée en médecine, ou, puisqu'il tenait tellement à combattre, de se porter volontaire pour la cavalerie ou l'artillerie, armes techniques où ses capacités seraient mieux employées. Gaston Bazille espérait que, le temps que son instruction militaire soit achevée, un armistice, en mettant fin aux hostilités, préserverait la vie de son fils et son honneur. Rien n'y fit. Frédéric tenait à partir à la guerre au plus vite, le fusil à la main, dans les zouaves.

Le 20 août, il embarquait pour l'Algérie où était stationné son corps. Il y apprit sous le dur soleil d'Afrique les rudiments du métier de soldat, et revint cinq semaines après en métropole, à Montpellier. Là, son unité fut complétée et équipée pour la campagne d'hiver. Le gouvernement de la République proclamée deux semaines plus tôt reconstituait dans la hâte et l'improvisation une armée de fortune chargée de secourir et délivrer Paris. Il avait pu revoir ses parents, goûter une dernière fois aux charmes de l'automne à Méric. Son uniforme de zouave avait beaucoup impressionné : la culotte bouffante, le caraco à brandebourgs et la chéchia à pompon, taillés dans une débauche de tissu rouge et bleu en avaient fait, sur la terrasse de Méric, une sorte d'être intermédiaire entre les hommes en habits noirs et les femmes aux toilettes claires et colorées. À Montpellier, sa tête coiffée du drôle de bonnet flottait haut sur la foule méridionale qu'il fendait d'un bon pas. On se disait « Vous avez vu, c'est le fils Bazille, le rapin monté à Paris qui n'a jamais fini sa médecine. Cela faisait le désespoir de son père. Qu'est-ce qu'il doit dire maintenant ! » C'était Frédéric et c'était un autre homme. Son visage, sous la coiffe orientale dont le pompon oscillait doucement au rythme de la marche, était aussi cuivré que celui des ouvriers agricoles à la fin de la saison. Ses traits émaciés, séchés sur l'os, lui donnaient une mine décidée, presque farouche, que son bon sourire détendait à l'approche d'une connaissance. Il avait beaucoup d'allure. On l'admirait et on le plaignait, lui, ses parents, la France et l'époque.

Paris était assiégé, bombardé, affamé, et le sursaut patriotique qui animait le pays produisait autant de désordre que d'énergie. Cela n'augurait rien de bon. Le récit par le soldat de son instruction accélérée, des conditions de casernement déplorables et de la médiocrité de ses camarades – des repris de justice et des mauvais garçons pour la plupart –, acheva de navrer sa famille. Le père parla de solliciter ses relations pour le faire affecter ailleurs, mais Frédéric se déclara solidaire de son régiment. Il ajouta que, parmi les pauvres diables de sa section, un certain nombre avait le cœur mieux accroché que bien des bourgeois restés chez eux à attendre la suite des événements. Personne ne lui demanda d'aller chez le photographe avant de partir, sans doute pour conjurer le sort. On le regretta par la suite.

Ces semaines de rémission, à Méric, lui donnèrent des jours splendides, aux matins aussi neufs que les fruits du marronnier, tombés sur la terrasse. Libérés de leurs bogues avec la chute des feuilles, propres et luisants, pareils à des bijoux, comme eux, ils attiraient la lumière, et, comme eux, lui donnaient une intensité bouleversante. Il aurait bien essayé de les peindre. Il imaginait les couleurs nécessaires, les touches décisives de blanc. Ce serait certainement difficile. Monet aurait su. Il regardait la boule brun doré dans sa paume, la roulait entre ses doigts. Ce fruit parfait, aussi exaltant pour l'œil que doux et lisse dans la main, pouvait-on croire qu'il serait une chose noire et racornie à Noël, avant d'être, l'année suivante, la poussière dans laquelle rouleraient les fruits nouveaux.

Un samedi soir, Frédéric rentra de la caserne avec un galon d'or sur chaque manche. Il avait été promu sergent. Sur le tissu marine du dolman, devant le bon feu d'octobre nourri de sarments et de châtaigner, les ficelles du sous-officier prenaient la couleur des flammes. Le grand zouave, que ses camarades avaient surnommé « La Bazoche », était imposant. Si Monet ou Renoir l'avaient vu ainsi, ils lui auraient demandé de poser. Quand il était chasseur d'Afrique, Monet avait servi de modèle à un de ses cousins, au cours d'une permission au Havre. Le petit tableau le suivait partout, Bazille s'en souvenait. Lui aussi avait peint un parent en tenue militaire. C'était Alphonse Tissié, un frère de sa belle-sœur, qui était cuirassier. Son régiment avait chargé à Reischoffen au mois d'août, dans les houblonnières d'Alsace. Qu'était-il devenu ? Frédéric, lui, se sentait invulnérable. Il se sentait nécessaire. Cette conviction, sur laquelle se brisait le raisonnement, lui paraissait une cuirasse autrement efficace que celle d'Alphonse Tissié.

Dans sa chambre, il avait ôté le linge jeté en août, avant de partir, sur le tableau en cours. *Ruth et Booz* illustrait le poème de Victor Hugo, dont les images puissantes, surprenantes, l'enchantaient. Le cèdre devant lequel le vieillard sommeillait était exact. C'était celui poussé devant la terrasse de Méric. Le reste était à refaire. Ce paysage oriental rêvé l'été précédent depuis la France n'était pas du tout celui qu'il avait vu en Algérie. Au moins, si la guerre se terminait avant qu'il ait combattu, son engagement aurait servi à cela : mettre de la vérité sur cette toile. Il lui donnerait les formes et les couleurs des soirs sur la campagne algérienne, celle proche de Philippeville où, la séance de maniement d'armes terminée, il se promenait pendant que les autres allaient au café ou au bordel. Elle ressemblait davantage au plateau des Cévennes qu'au désert imaginé d'après les toiles de Fromentin et Delacroix. Il y avait de l'eau, là-bas, beaucoup d'eau, et de grands champs de blé sous la « faucille d'or ». Il imaginait les changements à apporter au décor de la scène, le choix des tubes de couleur à employer, les mélanges. Il lui faudrait beaucoup de blanc, comme lorsqu'il représentait ses paysages du Languedoc, et du gris. Il y reviendrait plus tard, après la guerre. Sous le linge, la grande ébauche l'attendrait.

Les moments de liberté que lui laissaient la vie de garnison et la préparation aux combats à venir, Frédéric les dépensait en promenades dans les chemins qui sillonnaient les abords de Méric. Il choisissait les lieux parcourus depuis l'enfance, où les souvenirs superposés étaient aussi serrés que les murs de pierres sèches. Le soir venu, descendant vers le domaine, il voyait les lumières de Montpellier s'allumer une à une. Plus loin, du côté des étangs et de la mer, ses yeux hésitaient entre les feux des phares, les derniers reflets du soleil, les premiers de la lune. Enfin, il apercevait les fenêtres de la maison et, comme il remontait l'allée du domaine, entre deux rangs de platanes, une silhouette qui passait devant la lampe de la cuisine. Il frottait ses brodequins sur le palier, accrochait au portemanteau la chéchia et la cape rouge et bleue, et allait s'asseoir dans un coin du salon, près de sa mère. En attendant le dîner, il écoutait la rumeur de la maison. Il se promettait de peindre cela, plus tard, cette douce sûreté au cœur de la nuit. Ce serait comme une caverne, un halo cuivré, cerné de noir.

Frédéric avait reçu pendant cette période suspendue des messages de ses amis de Paris, jeunes peintres dispersés par la guerre. Renoir, mobilisé dans un régiment de cuirassiers, avait été affecté au dressage des chevaux à Bordeaux. Avant d'être appelé au service, c'est pourtant lui qui avait écrit à son ami de ne pas faire la bêtise de s'engager. La lettre où il le traitait d'illuminé et d'« archibrute » avait amusé son destinataire, qui reconnaissait la verve de son ami et sa tendresse bourrue. Il lui avait semblé entendre sa voix. Renoir était soldat maintenant, lui aussi, et à cheval en plus. Courbet, Degas et Manet servaient dans la Garde nationale à Paris. Monet avait quitté la Normandie et venait de passer en Angleterre, pour échapper à la mobilisation. De Cézanne, toujours distant et mystérieux, on ne savait rien de précis. Il avait dû, lui aussi, se mettre à l'abri, sans doute chez lui, pas très loin de Montpellier, à Aix-en-Provence. Quant à l'ami Sisley, citoyen britannique, il regardait tout ça de loin, désolé pour ses camarades français, et pour la France qu'il aimait au moins autant que son propre pays, en tous ses aspects, les Françaises en particulier.

Frédéric n'était pas surpris que Monet se soit exilé. Rien n'aurait pu empêcher de peindre cette tête de lard, ce fou de couleurs, fier, obstiné, sûr de sa main et de son destin. Rien, ni la guerre, ni l'opinion des autres. Le soldat imaginait son ami, assis au bord de la Tamise, en train de s'échiner à reproduire sur une toile les reflets d'une eau sans soleil et de sourdes lueurs dans les brouillards de Londres. Il n'avait probablement jamais fait si grande consommation de gris, du gris anglais. Frédéric se demandait s'il avait pu emmener avec lui sa femme, Camille, et le petit Jean, qui avait trois ans et dont il était le parrain. S'ils avaient de quoi vivre là-bas ? Le grand remue-ménage de la guerre produisait bizarreries et paradoxes.

Du groupe d'inséparables que ses amis peintres formaient, cette poignée de jeunes hommes qui avaient rejeté le carcan de l'enseignement académique, les scènes champêtres sombres et minutieuses et les grandes machines à motifs historiques ou mythologiques, Monet était le seul à avoir été soldat. À vingt ans, il avait fait deux ans

LE DÉJEUNER SUR L'HERBE.

de service en Algérie, dans la cavalerie. Il était costaud, mais le climat et les nourritures auxquelles son estomac de Normand était mal habitué l'avaient éprouvé. Un violent accès de fièvre typhoïdique avait provoqué son rapatriement. Bien qu'écourtée, la rude expérience de la vie de caserne avait consolidé dans ce caractère bien trempé une assurance et une force peu communes. Frédéric se souvenait du courage et de l'endurance de son ami, quand, à Chailly, près de Barbizon, alors qu'ils travaillaient en forêt de Fontainebleau, en voulant protéger un groupe d'enfants, Monet avait été accidentellement blessé par des étudiants anglais qui s'entraînaient au lancer du disque. La rondelle d'acier lui avait profondément labouré la jambe, et Frédéric l'avait soigné avec une patience efficace. Sa résistance à la douleur, qui tenait autant à sa robustesse qu'à son orgueil, l'avait frappé. Monet, choqué et sanglant, avait tout de même voulu casser la gueule aux Anglais. Cette rugosité du tempérament contribuait à l'ascendant qu'exerçait l'ancien cavalier sur le groupe de jeunes artistes. En 1860, lorsque le tirage au sort, à la mairie du Havre, l'avait désigné pour le service armé, son père lui avait mis le marché en main : « Je t'achète un remplaçant, mais, puisque tu veux absolument être peintre, alors cesse de n'en faire qu'à ta tête et suis l'enseignement d'un maître, dans une bonne académie qui te préparera à l'École des Beaux-Arts. Sinon, prépare-toi à reprendre mon négoce d'épicerie, au Havre. » Le fils, entêté et farouche, fuyant les dogmes et contraintes de l'enseignement académique, avait refusé. Par défi, il avait devancé l'appel et choisi de servir au plus loin, en souscrivant un engagement au 1er régiment de chasseurs d'Afrique. Il avait mis la mer entre lui et sa famille et jeté au visage de son père sept ans de servitude militaire, choisi les dangers des opérations outre-mer, plutôt que le confort imposé d'une routine bourgeoise. Au moins, pensait-il, le ciel d'Afrique était un ciel de peintre. Il reviendrait plus fort, comme Delacroix.

Frédéric s'en était souvenu au moment d'opter pour les zouaves. Il avait fait comme Monet, et, là-bas, était allé chercher, en même temps qu'un brevet de virilité, l'accroissement du patrimoine de l'œil. Monet lui avait parlé souvent, en même temps qu'à Renoir, entre les murs gris de Paris, de l'intensité incomparable de la lumière sur cette terre d'Afrique. Le jeune homme en quête de sensations, le patriote et le peintre en lui avaient ensemble choisi. Comme Monet autrefois, et, maintenant, à la place de Monet, il irait. Cette fois, c'était lui, Frédéric Bazille, le remplaçant, qui allait quitter le foyer paternel, le bord de mer et les garrigues, en culotte rouge bouffante, guêtres blanches, longue ceinture de laine enroulée autour de la taille, veste bleue et bonnet garance, pour aller à la guerre.

Le sergent Bazille, avec tout son bataillon, fut envoyé dans le Nord-Est à la fin du mois d'octobre. Le convoi remonta la vallée du Rhône puis celle de la Saône, jusqu'à Besançon. Il resta en Franche-Comté pendant un mois, à patrouiller dans la région sans y rencontrer l'ennemi. Après la capitulation de Bazaine et la capture des cent cinquante mille hommes enfermés dans Metz, le 27 octobre, l'ennemi avait concentré ses armées autour de Paris pour achever au plus vite la France à terre, en la décapitant. Quelques jours après la Toussaint, le 3e zouaves descendit à marche forcée vers le sud de la Bourgogne où se rassemblaient les éléments épars des forces reconstituées par le gouvernement de la République. Elles lui parurent ensemble une masse considérable. Par milliers, les tentes parsemaient la plaine et le plateau au nord de Chalon-sur-Saône, du côté de Chagny. Vers ce nœud ferroviaire convergeaient de l'ouest, du sud et de l'est des trains remplis de troupes. La foule humaine qu'ils débarquaient manquait de canons, de cavalerie, de l'appareil militaire que l'Empire avait dilapidé dans les désastreuses batailles de l'été et qu'on n'avait pas le temps de remplacer. Dans son régiment de zouaves qui manœuvrait en formations bien organisées, avec tambours et fifres, en rangs par quatre, officiers et sous-officiers en tête et en serre-file, Frédéric se faisait l'effet d'un briscard, un soldat de l'An II décidé à foutre l'ennemi dehors. Il était impatient de se battre. Il monta avec son unité dans un train qui, après avoir traversé le Morvan et longé la Loire dans la nuit, le débarqua en gare de Gien le 20 novembre. Il lui restait moins d'une semaine à vivre.

En trois jours, mettant à profit le réseau ferroviaire développé par Napoléon III, les chefs de l'armée de la République formée sur la Loire étaient parvenus à concentrer cent mille hommes dans le Gâtinais, prêts à faire mouvement vers le nord, vers Paris. Les Prussiens, pour parer la menace, avaient massé dans cette région plusieurs divisions et s'étaient hâtivement, mais solidement, retranchés dans les bourgs et villages situés sur la route de Paris. Des patrouilles et des escarmouches avaient renseigné les deux adversaires sur leurs positions respectives. Ils se mirent en ordre de bataille.

Frédéric ne s'était jamais senti si jeune et si fort. Toutes ses impressions de la guerre étaient animées de ce sentiment. Dans le désordre de l'armée, il voyait surtout les combattants en foule, et dans leur dénuement, une énergie brute. Les paysans bourguignons, les cheminots et les ouvriers des forges, les vieillards et les femmes les encourageaient, leur donnaient des légumes de leur potager, ceux de l'hiver, poireaux, choux et patates, des œufs et du vin. Des volontaires venaient chaque jour s'enrôler, des gamins et des vieux. L'invasion avait remué dans les profondeurs le patriotisme du pays et c'étaient les plus humbles, ceux qui ne calculaient pas, n'ayant rien ou pas grand-chose, qui étaient les plus prompts à le manifester. On sortait des pétoires des greniers et des sabres piqués de rouille de l'époque de l'Empereur. Le corps malheureux du pays était traversé d'un flux jeune et vigoureux, presque joyeux. Et, parce que son capitaine était un soldat de métier valeureux, Frédéric avait confiance.

Le 27 novembre, les munitions furent distribuées, et, au soir, le capitaine d'Armagnac réunit les cadres de sa compagnie, pour leur indiquer l'objectif assigné au régiment et fixer les missions de chacun. Puis, à la popote du dîner, aussi maigre que le pays gâtinais où l'armée piétinait depuis une semaine, il fit remplir les verres de bourgogne pour arroser les galons de sous-lieutenant de Frédéric, promu du jour. Le capitaine appréciait ce jeune bourgeois courageux et plus résistant qu'il n'en avait l'air. Il savait parler aux plus simples et trouver les mots pour les têtes de lard. Il aimait ses zouaves et il en était aimé. C'était un bon meneur d'hommes.

Le 28 novembre avant l'aube, par un froid de canard, après avoir avalé la soupe, le 3e zouaves fit mouvement vers Beaune. Les hommes traversèrent les labours. Sur la terre qui n'avait pas encore gelé, les semelles de leurs godillots se chargèrent de boue. Quand ils entendirent les premiers coups de canons, ils se mirent à courir à travers les champs et les haies qu'ils coupaient. La vague bleu et rouge, fourmillant dans les couleurs ternes d'un matin d'hiver, chassait devant elle les formations avancées de l'ennemi. Les roulements trébuchants des tambours, secs et mats, et les stridences des clairons semblaient précéder les hommes, les aspirer vers l'avant. Les chassepots avaient commencé à tirailler à la vue des Prussiens qui s'enfuyaient. Le hameau d'Ormes dépassé, les assaillants s'arrêtèrent derrière les derniers rideaux d'arbres qui les masquaient à la vue des occupants de Beaune-la-Rolande. Leur objectif, à moins de cinq cents mètres, était le cimetière transformé en fortin par les Prussiens.

On aurait dû le canonner pour creuser des brèches dans les murs et désorganiser la défense, avant de se jeter dessus. Il allait falloir se débrouiller autrement, courir sous le feu de l'ennemi jusqu'aux murs et les escalader pour neutraliser la garnison. Les zouaves franchirent d'un bond l'eau glacée de la petite rivière des Mazures puis, cachés derrière les aulnes, ils observèrent une dernière fois la petite ville, ses toits tranquilles, son clocher. Ils scrutèrent chaque pierre de l'enceinte du cimetière où étaient tapis les Prussiens qui, invisibles, les attendaient. À l'ordre, les zouaves se démarquèrent.

Ils couraient dans le champ découvert, sur l'herbe rase et dure que les morts engraisseraient au printemps. Frédéric encourageait ses hommes de la voix. Lui n'entendait que la tambourinade de la course sur le sol gelé et le halètement des poitrines, surtout la sienne. Le souffle de son effort, pressé par l'angoisse et l'excitation, aiguisé par le froid, était presque douloureux. Parvenus à deux cents mètres du cimetière environ, ils entendirent les commandements hurlés par les officiers prussiens et, aussitôt, le bruit de la salve. Elle crépita pendant quelques secondes, dans un grandissant nuage de fumée. Lorsqu'il se dissipa, Frédéric regarda autour de lui. Ce qui était un instant auparavant une ligne d'assaut progressant comme à l'exercice, neuve, vigoureuse et pleine d'élan, était maintenant une foule confuse, déchirée, tournoyant sur elle-même. Elle était pleine de trous, vastes comme des clairières jonchées de tas de chiffons pourpres et marine. Le bruit de la fusillade avait été suivi d'un soudain silence, une sorte de stupeur. Puis les cris des blessés avaient rempli l'air de jurons, d'imprécations, d'appels, de plaintes. La force, la cohésion et la jeunesse, deux battements de cœur après, la solitude et la détresse.

Les hommes refluaient. Les blessés légers qui avaient jeté leurs fusils, affolés par la vue de leur propre sang, se détachaient plus vite de la masse désordonnée. Les officiers, en brandissant leur sabre, en signe de reconnaissance et pour montrer qu'ils étaient encore vivants, s'efforçaient de récupérer leurs hommes, de les réunir. Ils les appelaient par leurs noms, ce qui était plus efficace que la menace. La haute taille de Frédéric dominait le ressac. On l'entendit ordonner à des hommes qui tiraillaient de faire attention à un groupe de femmes et d'enfants qui, piégés par le combat, trottaient pour gagner un bois de peupliers. Des groupes se reformèrent, les ordres fusèrent et la course en avant reprit. Les rangs étaient moins denses, mais animés d'un mouvement furieux. Les premiers des assaillants n'avaient plus que quelques mètres à franchir pour atteindre les murs du cimetière, lorsqu'en jaillit la deuxième salve. La vague d'assaut, laissant de nombreux morts et blessés, vers l'arrière s'éparpilla de nouveau, cette fois définitivement.

Frédéric avait été touché à deux reprises, au bras et au ventre. Jeté à terre, à peine capable de se traîner, il serait resté devant le cimetière si deux de ses hommes, en se repliant, ne l'avaient emmené. Derrière un groupe de maisons, ils le mirent à l'abri, et comme leur bataillon décimé ne pouvait plus participer à la bataille, qui dura encore toute l'après-midi, ils restèrent avec lui et l'assistèrent jusqu'à la fin. La blessure au ventre le faisait beaucoup souffrir. Elle était mortelle, il le savait. Il remit à l'un des soldats sa chevalière pour qu'elle soit envoyée à ses parents. Il voulut leur distribuer l'argent que contenait son portefeuille, mais ils refusèrent. Étendu entre les deux pans d'une toile de tente repliée sur lui, tachée de son sang, d'où sortaient ses jambes immenses peu à peu engourdies, un sac sous la tête, il ne sentait plus le froid de la terre. Il n'entendait plus les cris et les gémissements des autres, les paroles des assistants. Ses yeux voyaient le ciel se charger d'une nuée sombre, baignée de cette grande lueur laiteuse qui annonce la neige. Frédéric entra en agonie, et mourut à la fin du jour.

CAMILLE

Monet apprit à Londres la mort de Bazille, par une lettre de Renoir, la veille de Noël. Ce matin-là, comme il quittait son logis, le concierge lui avait tendu l'enveloppe avec une précaution superstitieuse. Ce papier, ces signes d'encre venaient de France. Il semblait au brave homme qu'ils transportaient jusque dans sa cour de la triste rumeur de la guerre et de sa capacité à faire le mal de loin. Cela l'étonnait que ces Français reçoivent autant de courrier. Il constatait avec surprise que, sauf dans les régions envahies, les combats n'empêchaient pas les communications, le service des postes en particulier, de fonctionner presque normalement. Dans le grand chambardement de la guerre, la vie poursuivait son cours, grossie de deuils et d'amertume, et creusait son lit dans des draps froissés. Si les défaites de l'armée française et l'invasion de son pays n'avaient apparemment pas affecté l'exilé, en revanche le dédain ou la commisération des Anglais l'insupportaient. Il faisait un gros effort pour se contenir, se rappeler le devoir de réserve d'un réfugié, lorsque lui prenait l'envie de mettre son poing dans la figure des moins discrets de ces rougeauds. Le concierge n'eut droit qu'à un vague remerciement que l'accent de Monet rendit incompréhensible.

Il avait décacheté sa lettre en marchant. Les devantures des boutiques étaient parées pour la fête. Derrière les vitrines brillantes de propreté, les marchandises avaient l'éclat allègre et tentateur du neuf. Elles semblaient fraîchement écloses dans le papier de soie rouge et vert, les tartans écossais et les tissus venus des Indes. Les boutiquiers allumaient tôt l'après-midi des petites lanternes, et, comme le jour dans les rues de Londres, en décembre, c'était déjà presque la nuit, elles brillaient et dispersaient au hasard de sourds éclats de lumière sur le verre et les objets exposés. La lettre qu'il lisait sur le trottoir de l'avenue en fête racontait que leur ami s'était fait tuer devant Beaune-la-Rolande, un soir de déroute. Il aurait reçu une volée d'éclats d'obus sur le chemin où il battait en retraite, croyait-on savoir. Il était mort pour rien, écrivait Renoir, en ajoutant que, pour sa part, il avait eu de la chance. L'armée l'avait laissé végéter dans le Sud-Ouest. Son capitaine, qui s'était surtout préoccupé de protéger ses chers chevaux du massacre, l'avait pris en sympathie. Il aimait la peinture et lui avait demandé de donner des leçons à sa fille. En petite tenue de cuirassier, savates aux pieds et bonnet de police sur le crâne, le père Renoir avait bien travaillé.

Monet revoyait Bazille – comme les militaires, les peintres, même devenus intimes, s'appelaient par leur nom de famille – tel qu'il avait débarqué dans l'atelier Gleyre, à Paris, rue du Bac, courbant la tête par réflexe sous le chambranle de la porte, gauche et emprunté, démesurément long. C'était à la fin de l'année suivante, Monet, rentré d'Algérie depuis quelques semaines, venait de recevoir de l'autorité militaire un certificat de bonne conduite en même temps que la notification de sa libération du service. Il était revenu à Paris et avait repris les pinceaux sous la conduite légère du vieux peintre Charles Gleyre. Quand le nouvel élève s'assit, son tabouret eut l'air sous lui d'un meuble d'enfant. Ses jambes pliées faisaient des angles aigus, on aurait dit des pattes de sauterelle. De temps à autre, il les allongeait pour soulager ses genoux. On les trouvait alors interminables. Monet en était fasciné. Ils avaient sympathisé au fil des semaines, lui, Bazille, Renoir et Sisley. Leur groupe s'était formé naturellement, il n'aurait su dire comment. Des regards de connivence amusée lorsque le professeur donnait ses indications à voix basse en traînant sur les voyelles, une déambulation sur le quai, au bord de l'eau noire de la Seine, le soir d'un jour de décembre, le hasard d'un bock pris dans une brasserie du boulevard Saint-Germain après une longue séance d'atelier, par petites touches leurs jeunes existences les rapprochaient. Dans le même éclat de rire, ils s'étaient enchantés de la manière dont Renoir avait imité la petite élève anglaise qui insistait pour que le professeur, citoyen suisse, fasse ôter à l'athlète sur l'estrade sa « petite caleçone ». Elle ajoutait, à part, pour le convaincre, « Mister Gleyre, vous savez, j'ai oune amant ». C'était Frédéric qui riait le plus fort. C'était lui, aussi, qui avait payé les consommations.

Au printemps 1862, Renoir, Bazille et lui étaient très liés. Tous les trois étaient partis travailler en plein air dans la forêt de Fontainebleau, à Pâques. Monet revoyait leurs soirées à l'auberge du Lion d'or où ils avaient pris pension. Après le dîner – la soupe, des œufs frais, du pain blanc et du brie –, devant la cheminée, Bazille écrivait à ses parents, lui, l'ancien de l'armée d'Afrique, songeait en tirant sur sa pipe, et la servante plaisantait avec Renoir. Il voulait la faire poser. Même habillée, elle ne voulait pas. À l'heure du coucher, comme sa grand-mère du temps qu'il était petit, Renoir disait en frappant dans ses mains : « Allez, au lit, on dort ! » Il faisait beau, et le grand soleil, l'air de la province et la bonne nourriture avaient ravivé l'accent du grand Méridional et sa bonne humeur. Renoir rigolait en voyant le gars du Havre et celui de Montpellier marcher côte à côte. La tête ronde de Monet ne dépassait pas l'épaule de son compagnon, tandis que son torse de déménageur projetait une ombre qui faisait presque deux fois l'envergure du voisin. Monet se mettait en boule si Renoir parlait de les croquer ainsi. Le contraste était aussi dans la tenue des deux jeunes hommes. Le pauvre était vêtu comme un prince d'habits à ses exactes mesures, de coupe anglaise, aux beaux tissus, de délicates chemises aux parements plissés, aux poignets de dentelle, de gilets de soie fastueux où flambaient le rouge profond et le jaune. Dès que Monet avait touché une somme d'argent, il fonçait chez son tailleur. Le riche, comme l'ancien décorateur d'assiettes qu'était Renoir, accordait une attention distraite à son allure. Il usait ses vêtements jusqu'à la corde et laissait à l'herbe des chemins le soin de lustrer ses souliers.

Renoir n'avait pas encore attrapé sa manière, mais déjà, rapide, habile et concentré, tournait autour et ne demandait rien à Monet. Bazille, lui, écoutait l'aîné, sollicitait ses conseils. Pour la première fois, devant ce grand échalas qui n'avait qu'un an de moins que lui mais persistait à le vouvoyer alors qu'il tutoyait Renoir, Monet s'était vu plus qu'un aîné, un maître. Son sentiment intérieur, sa conviction qu'il était né peintre et voué à devenir un grand peintre trouvaient dans les yeux d'un autre la confirmation directe et franche de sa vocation. Il devait beaucoup à l'admiration de Bazille.

Il lui devait de l'argent aussi. Bazille, soutenu par une famille fortunée, vivait à l'aise, alors que lui, toujours entre deux querelles avec le père Monet, épicier aussi buté que son bon à rien de fils, tirait le diable par la queue. Bazille, quand il recevait de l'argent de Montpellier, se faisait le mécène de son ami et lui achetait un tableau. La nécessité pressante et la honte de réclamer donnaient aux sollicitations que Monet adressait à son ami une insistance, une âpreté pénibles. Bazille lui pardonnait ces manières rudes. Il comprenait qu'elles étaient celles d'un homme humilié par la misère, qui, dans ses rapports avec les autres, n'avait de richesse que les mots et la hauteur pour les dire. Quand ils partaient ensemble travailler à la campagne, qu'ils prenaient pension à la ferme Saint-Siméon, près de Honfleur, à l'hôtel du Lion d'or, à Chailly, ils partageaient les frais, mais le plus à l'aise, souvent, s'arrangeait pour réduire la part de son ami ou faisait l'avance. Monet, qui était fier, grognait de vagues remerciements. Bazille, qui était noble, les faisait cesser d'un geste. « Ces choses sont sans importance. »

Quand son ami lui avait acheté *Femmes au jardin*, le regret de Monet de se séparer de son tableau avait été atténué par la certitude qu'il s'en allait chez un connaisseur, un camarade à l'œil clair et à la main sûre, un artiste. Ces figures en plein air, au jardin, c'était une des plus belles choses qu'il avait réalisées à l'époque. Bazille lui en avait fait grande louange et l'avait payé un bon prix, de quoi vivre au large pendant des semaines. Le tableau était parti à Montpellier. L'acquéreur avait été heureux de montrer à ses parents l'œuvre de son ami Monet. « Vous verrez, c'est le meilleur d'entre nous. On n'a pas fini d'en entendre parler. » L'enthousiasme du jeune Méridional était volubile. Pourtant, il n'avait pas dit à ses parents que la jeune femme en robe blanche qui passait prestement derrière le buisson où elle cueillait une rose l'intéressait beaucoup. La même élégante, avec la même robe, avait posé pour Monet dans *Le Déjeuner sur l'herbe*. Elle poussait une assiette sur la nappe à l'intention d'un gaillard aux jambes démesurées, qu'elle regardait en souriant. C'était lui l'homme couché sur le coude. Gabrielle était une jolie rousse potelée à la peau très claire. Bazille en était amoureux. Il avait acheté *Femmes au jardin* non seulement pour aider son ami, mais aussi pour garder tout l'été, près de lui à Montpellier, ce visage aimé, cette silhouette glissant sur la pelouse, dont il disait que l'auteur, par un tour inexplicable, incompréhensible, avait saisi la vie singulière, le charme indicible du mouvement.

À Ville-d'Avray, où, à l'époque, Monet louait un pavillon, les jeunes gens venaient tous les deux poser pour *Le Déjeuner sur l'herbe*. Les proportions du projet étaient considérables, hors normes. Pour travailler dessus à son aise, Monet avait fait creuser dans son jardin une tranchée d'où s'élevait un immense chevalet. Sur deux rouleaux, l'un en haut, l'autre en bas, avec une petite manivelle il faisait monter ou descendre la toile tendue. La partie travaillée se trouvait ainsi toujours à la bonne hauteur, celle du peintre, qui n'était pas obligé de grimper et descendre de l'échelle à chaque instant pour prendre une couleur, un chiffon ou juger d'un effet. Bazille et Gabrielle posaient alternativement et parfois ensemble sur la pelouse. Il avait semblé à Monet qu'un accord se nouait entre ses deux modèles, devant lui, pendant ces moments. L'équilibre du tableau tenait aux regards croisés des deux personnages, son harmonie, cela lui paraissait évident dorénavant, à la mutuelle attirance qu'il avait sans doute décelée avant les deux intéressés. Sa main et son œil avaient perçu et montré ce qu'il n'avait compris qu'ensuite, amusé et content. Monet se demandait maintenant si ces regards échangés étaient ceux de la séduction et du désir, ou de l'amour accompli.

Les robes, les belles robes du Second Empire, riches de couleurs et généreuses en tissu, avaient été l'objet d'une passion commune. Quand Monet avait remporté, avec la faveur du grand public et l'admiration de ses pairs, la médaille d'argent du Salon de 1866, c'était pour sa *Femme à la robe verte*. Le rendu de la traîne de soie à bandes vertes et noires avait fait forte impression. Le grain du tissu, la manière dont il se froissait en cent esquisses de pliures au contact du sol, ses reflets aux intensités variables, sa vérité avaient été comparés aux chefs-d'œuvre des maîtres italiens, à Véronèse surtout. Cette robe admirable dont chaque cassure, chaque nuance avaient été adorées de son pinceau, c'était Bazille qui la lui avait prêtée. Il l'avait louée pour un de ses propres projets de tableaux, mais l'avait finalement mise à la disposition de son ami. Monet en avait eu envie au premier regard.

La robe était exactement aux mesures d'une jeune modèle qui débutait timidement dans le métier. Peut-être était-ce cette heureuse circonstance qui l'avait conduit à solliciter la jolie brune à la taille mince rencontrée à la brasserie. Il lui avait demandé de marcher dans l'atelier, de prendre, toujours debout, diverses attitudes, jusqu'à ce qu'il soit content. Alors il avait dit brusquement : « Là… maintenant… ne bougez plus. » Elle tenait la bride de son chapeau entre les doigts de la main droite. Il s'approcha, saisit sa main aussi délicatement qu'il put, et en rougissant la rapprocha du visage de la jeune fille. Il avait peint le tableau en moins d'une semaine. Jamais il n'avait atteint ce niveau de perfection dans la représentation des choses. Toutes les difficultés, la moire de l'étoffe, la caressante blondeur des parements de fourrure, le velouté de la peau, les cils, le pli à la commissure des lèvres, avaient été surmontées avec une étonnante facilité. Il ne tâtonnait pas, il trouvait.

Il avait terminé à temps pour pouvoir présenter le tableau au Salon de 1866. Toute l'année précédente, il avait espéré épater le monde avec son gigantesque *Déjeuner sur l'herbe,* et lui avait dans ce but consacré des mois de labeur opiniâtre. Le projet était resté inachevé. Son nom figura pourtant au catalogue grâce à ce portrait de femme exécuté en hâte. Le succès fut d'emblée considérable. C'était si beau, si accompli, qu'on crut l'œuvre de la main de Manet, le maître. La robe verte, tranchant sur les nuances de marron qui ombraient le fond de la toile, avait été comme un éblouissant fanal parmi les œuvres opaques, trop vernies, comme cuites, qui couvraient les murs du Salon. Les yeux des amateurs s'étaient rafraîchis à ce vert où baignaient les regards. Son flot débordait le cadre et persistait sur la rétine. Les gens en parlaient encore sur le trottoir et jusque chez eux. Ils appelaient l'œuvre non par sa désignation dans le catalogue officiel, mais par ce qui, en elle, les avait émerveillés, l'accessoire et sa couleur, *la robe verte.*

Le peintre l'avait soumise au jury sous le nom de *Camille*, le prénom du modèle. Il était tombé amoureux de la jeune femme en la peignant. En rectifiant sa pose, il touchait son bras, sa main, sa tête avec une timidité adolescente. Il reconnut à cela que non seulement elle lui plaisait, mais qu'il voulait lui plaire et craignait de n'y parvenir. Lorsqu'il céda au besoin d'embrasser ses doigts gantés, tandis qu'il lui montrait comment les placer en tirant sur la bride de son chapeau, il sut qu'il l'aimait. Les gens voyaient la robe, il voyait le sentiment. Les gens donnaient à l'œuvre le nom de l'objet, il lui donnait le nom de son amour. C'est cela qu'il avait peint. Ces paupières battues, ce teint pâle, ce pli au coin de la bouche, ces lèvres légèrement gonflées, tout ce qui donnait cet air de dédaigneuse lassitude à la jeune femme avait été peint au matin de leur première nuit. Elle et lui le savaient et ne voyaient que cela. Bazille et Renoir, qui avaient découvert le tableau dans l'atelier et avaient fait connaissance de Camille en même temps que leur ami, avaient deviné. Pour eux, il n'y avait d'autre mystère dans ce chef-d'œuvre de quatre jours que la rayonnante puissance d'une passion neuve.

Sous ses vêtements d'hiver, Monet connaissait le corps de la *Femme à la robe verte*. Elle était Camille, Camille tout entière. Dans son visage de trois quarts, comme posé sur la fourrure du col, il avait peint tout ce qu'il en pouvait montrer : la blancheur lumineuse, le moelleux de la chair, la douceur unie de la peau, la longue courbure des cils, la toison très brune des cheveux. Il avait prévu de peindre le modèle les épaules nues, le buste pris dans les bandes vertes et noires de la robe complète. Comme il faisait froid dans l'atelier, à la première pause, la jeune femme avait remis la veste pelisse en velours avec laquelle elle était venue. Ainsi vêtue, devant le poêle, les deux mains couvrant la faïence brûlante d'un bol, elle lampait le thé à petites gorgées qui faisaient palpiter doucement son cou. Monet ne voulut plus qu'elle l'enlève. Le contraste entre le drap sombre, qui buvait la lumière, et la soie verte, qui la faisait miroiter, était merveilleux.

Personne, sauf lui, ne savait à quel point était plus délectable encore le contraste entre les jambes nues de Camille et le manteau coupé haut, au bas des reins. En sortant du lit, au matin, elle avait passé promptement, à même son corps, le vêtement bordé de fourrure. Claude avait alors eu la vision fugitive de la jeune femme effleurant, sur la pointe des pieds, les carreaux du sol glacé pour gagner le cabinet de toilette. Il avait dû la supplier pour qu'elle revienne ainsi, ravie et rougissante, plus lentement, mais toujours sur la pointe des pieds, vers le lit. Il y avait, sous la peinture que regardaient les visiteurs du Salon, une deuxième

LA FEMME À LA ROBE VERTE.

image connue de Monet seul. Elle illuminait la surface peinte de la toile, comme la neige le nuage noir qui la contient.

Les gens commentaient l'habileté de son pinceau à reproduire les festons de la veste, cette frémissante légèreté de la fourrure où l'on reconnaissait bien le pelage du vison. Lui y voyait celui de la loutre, parce que le nom de la bête, dans l'élan, l'assouvissement et la tendresse, cent fois répété, aux syllabes douces, rondes et liquides, était comme Camille. Elle venait de Lyon et portait un nom de la région. Doncieux. Les sonorités de ce beau nom où flottaient les rubans de brume du confluent du Rhône et de la Saône lui avaient tout de suite plu. Quand elle l'avait prononcé pour la première fois, en se présentant, elle avait un peu avancé sa tête vers lui, pour que sa voix proche du murmure ne se perde pas dans le brouhaha de la brasserie. Il avait quand même dû la faire répéter et il avait trouvé agréable la proximité de ce visage nouveau et le mouvement de ses lèvres. « Doncieux », cela lui avait rappelé quelque chose. Quelque chose de plaisant. Cette intrigante familiarité l'agaça jusqu'au soir. Rentré chez lui, une intuition lui fit prendre, sur la planche où il serrait ses livres préférés, le premier volume des *Trois mousquetaires*. Il avait aimé ce personnage de femme, la première rencontrée à Paris par le gentilhomme gascon. Ses amis préféraient Milady. Lui aussi avait été naturellement porté vers la belle garce, aux séductions immédiates, mais c'est le charme de Mme Bonacieux, sa beauté calme et sa douceur, longue et sûre promesse des nuits secrètes, qui avait persisté en lui et dominait son goût pour le livre. La courte pelisse de *La Femme à la robe verte* aurait pu être portée par la camériste de la reine dans les rues étroites du Paris de Louis XIII. Quand Courbet lui avait présenté Alexandre Dumas lors d'un séjour au Havre, deux ans avant la guerre, il y avait repensé. Il s'était alors demandé comment une si délicate figure avait pu sortir de l'énorme, rigolard et tonitruant bonhomme avec lequel il déjeunait. Son admiration pour le père de D'Artagnan, en s'épaississant d'un nouveau mystère, s'en était accrue.

Monet avait beaucoup représenté Camille par la suite. Quand elle figurait sur le motif, tout était plus facile, tout était plus beau. Les idées venaient et les traits de couleur suivaient. Ils étaient amants et vivaient chacun de leur bord. L'argent qu'avait rapporté la vente de son tableau du Salon de 1866 avait surtout servi à rembourser ses créanciers. Le jeune peintre restait pauvre et sans domicile stable. Il passait d'un garni à l'autre, semant les dettes. Il tentait de rétablir sa situation au Havre, près de son père, toujours inflexible, et d'une tante veuve et un peu mécène à la bourse complaisante. L'air de la Manche lui clarifiait les idées et décrassait sa peinture que l'atmosphère de Paris, contre son gré, embourbait. Quand il était à bout de ressources, il trouvait toujours un abri dans l'atelier de Frédéric, heureux d'avoir près de lui son ami, toujours surprenant, et de partager la table de ce réjouissant coup de fourchette. Camille vivait de son côté, chez une amie. Pour elle aussi, la vie était difficile. Elle avait pris ses distances avec ses parents qui réprouvaient ses fréquentations et son mode de vie. Elle ne posait guère. Les peintres ne recherchaient pas, en dépit de sa beauté et d'une distinction sans affectation, ce modèle réservé qui refusait de poser nu. Elle donnait son temps à Monet et pour lui aurait accepté de se déshabiller et de rester des heures couchée sur un sofa, en pleine lumière, s'il l'avait souhaité. Jamais il ne le lui demanda, et jamais il ne l'avait demandé à quiconque. La nudité et ses conventions lui rappelaient trop l'atelier, l'enseignement académique et tout ce qui ressemblait à un enseignement, une leçon, ce système de règles et de principes extérieurs qu'il abhorrait. Même les conseils des peintres qu'il respectait lui étaient pénibles. Il avait le sentiment qu'on essayait de verser en lui quelque chose que non seulement il n'assimilerait pas, mais qui pouvait corrompre sa vision. Quand Courbet avait assorti sa brassée de compliments de quelques recommandations touchant son *Déjeuner sur l'herbe*, impressionné, il s'était appliqué à les suivre. Il avait gâché ses figures et, finalement, roulé avec colère les trois morceaux de la toile inachevée.

Il aidait Camille quand il le pouvait, elle donnait son apaisante tendresse au révolté, sa main fraîche sur son front. Deux ou trois toiles vendues, une rentrée d'argent, et c'était quelques jours de joie qu'ils partageaient dans une auberge à la campagne, encore aux portes de Paris. Dix minutes de voyage, le temps que la chaudière de la machine s'échauffe et le gris se délayait dans les transparences d'un ciel propre. Le vert et le bleu filaient aux vitres qui grelottaient gaiement dans leurs cadres de bois. Ils n'allaient pas très loin, mais toujours vers l'ouest, en direction de la Normandie. Aux premières boucles de la Seine, même les gros nuages semblaient s'alléger. Monet, dès qu'il approchait de la gare Saint-Lazare, du pub anglais aux carreaux sertis de plomb, incrusté dans une rue comme un fanal barbare aux portes de son pays, sentait ses nerfs s'apaiser. Sous la halle, où il lisait les noms de Mantes-la-Jolie, Vernon, les Andelys, Rouen, Le Havre il se sentait presque chez lui. Le charbon et l'acier, la vapeur, le ciel bleu tout au fond, l'industrie du voyage sentait la mer.

Il se levait tôt et parcourait les abords en suivant le chemin de halage le long de la Seine, ou un sentier sur la crête du coteau. Quand, dans la lumière du matin, son regard avait trouvé le paysage qui lui plaisait, la rivière bleue aux vibrants reflets blancs, les arbres émeraude aux ombres violettes, l'ocre de la maison du garde-barrière, il s'asseyait, mâchait un brin d'herbe en imaginant ce qui, aux limites de la toile, serait le bord des choses, puis commençait de les peindre. Camille, en suivant la direction qu'il lui avait indiquée, le rejoignait avec le panier de leur déjeuner. Il apercevait de loin les rubans de son chapeau flotter dans le sillage de sa jolie tête. Son visage n'était encore qu'une légère tache claire, qu'il voyait de mémoire, son sourire, ses yeux, ses joues fraîches et rosies par la marche et l'air vif. À mesure qu'elle s'approchait et que son apparence se précisait, il trouvait la réalité plus séduisante encore. Ils mangeaient le pain et le saucisson, le veau froid, les pommes et buvaient, puisque c'était une fête, du vin de Bourgogne. L'après-midi, assise sous un arbre, Camille lisait ou cousait et, de temps en temps, sous les cils baissés, le regardait. Il n'aimait pas qu'elle observe son travail tant qu'il ne l'y avait pas invitée. Alors seulement, il lui demandait son avis. Elle trouvait tout très beau, lui en particulier, et cela les amusait. Monet s'attardait seul devant un point de vue que le soir avait rendu intéressant, sortait sa pipe, y réchauffait ses doigts. Il avait bien travaillé. Il attendait que la fenêtre de leur chambre devienne jaune et que passe devant la lampe la silhouette de Camille pour faire les derniers pas jusqu'à la porte, le cœur plein.

Et puis, dans leur vie de bohème, l'enfant s'était annoncé. Dix-huit mois après le début de leur liaison, Camille était sur le point d'accoucher. Une lettre émouvante de Frédéric à Adolphe Monet, qui appréciait la bonne éducation du meilleur ami de son fils, n'avait pas suffi à lui faire ouvrir sa bourse. Il écrivit à son fils en lui conseillant de laisser tomber sa maîtresse, cette femme perdue. Monet, après avoir promis à Camille de reconnaître l'enfant et l'ayant confiée aux bons soins d'une relation, étudiant en médecine, se rendit à Sainte-Adresse, près du Havre, pour tenter de fléchir son père en jouant les repentis. Lorsqu'elle accoucha, le 8 août 1867, ni Monet, ni ses parents, qui ne voulaient plus la voir, n'étaient près d'elle. Frédéric passait l'été à Méric. Elle était seule, avec cet apprenti médecin qui la traitait consciencieusement, comme une patiente. L'enfant était fort et beau, et ressemblait à Monet. Elle était heureuse.

Les échecs coupés de rares et éphémères succès, la pauvreté, l'intransigeance de son père et la réprobation des patrons de la peinture académique, des marchands d'art, du gros des amateurs et des faiseurs de goût maintenaient le jeune artiste dans un état de rage froide. Un soir, du côté de Ville-d'Avray, après que l'aubergiste dont il ne pouvait payer la note l'avait flanqué dehors en lui confisquant les travaux en cours et son matériel, il s'était jeté dans la Seine. Pour y noyer son humiliation. Il avait oublié qu'il savait nager et rentra tout mouillé et honteux à Paris. Frédéric l'avait recueilli. Il lui avait fait une omelette, mangée en buvant une bouteille de muscat des vignes de M. Bazille. Renoir était passé et, ensemble, ils avaient ri de tout ça. Aucune rebuffade, aucune injure, rien, même l'indifférence ne le faisait varier. Monet ne doutait pas. C'était lui qui regonflait ses amis quand leurs tableaux étaient refusés ou qu'ils étaient moqués. Il leur disait qu'ils avaient raison, qu'ils voyaient juste et clair en prenant les choses comme elles étaient, vivantes, changeantes. C'étaient les autres qui ne regardaient pas, qui ne sentaient pas, qui avaient une taie sur les yeux. Sa voix était forte et dure, ses poings se fermaient. Il avait fini par concevoir contre la société, les bourgeois, les académies, les artistes patentés, Paris, ses façades prétentieuses, ses rues charbonneuses, son brouillard de fumée, ses cochers, ses voyous, ses filles faciles, leur parler gras, tout ce qui faisait son époque, un ressentiment infini, à la mesure de sa passion.

Quand la guerre contre la Prusse avait éclaté, elle lui avait paru un événement extérieur, un obstacle de plus à la reconnaissance de son talent et de la vérité de sa peinture, une source de misère supplémentaire, un retard. Il en voulait plus à l'Empereur, qui l'avait déclarée, qu'au roi de Prusse, qui l'avait désirée. Seuls, à cette époque, comptaient pour lui une poignée d'amis, Renoir et Bazille d'abord. Et Camille. Il avait fini par l'épouser, malgré l'opposition de son père. Elle ne demandait rien, et pour cela l'émouvait. Il admirait sa résistance à la gêne, à la déception, à l'humiliation. Il n'avait pas soupçonné chez la jeune fille douce et timide, qui se dissimulait étroitement pour passer la robe verte du tableau, l'énergie qu'elle mettrait à organiser leur vie de hasard. Jamais elle ne s'était plainte de ce que leur coûtait d'isolement et de privations son intransigeance. Elle souffrait de ses interminables silences, d'où jaillissait soudain un violent flux de colère, dans un débordement de paroles et de gestes. Quand il allait jusqu'à lacérer ses tableaux, elle tressaillait, s'effrayait, mais restait. D'un signe léger, elle lui rappelait que Jean, leur fils, dormait dans la pièce d'à côté. Il cessait alors de scander son dégoût et faisait les cent pas dans la pièce, ou, s'il n'y pouvait tenir, s'en allait faire un tour. La tête baignée dans l'air du soir, il poussait parfois jusque chez Bazille ou Renoir, quand celui-ci avait une adresse. Camille allait dans la cour récupérer les tableaux sacrifiés, avec l'espoir qu'une réparation pourrait les sauver. Elle verrait cela avec Frédéric.

Dès la fin du printemps, Monet, avec un flair d'artiste et d'ancien soldat, avait senti venir la guerre. Il avait précipité le projet de mariage que Camille n'avait jamais sollicité, ni même évoqué, mais dont il devinait qu'elle avait le souhait. Son père et sa mère lui manquaient. Parfois, les gens l'appelaient « Madame Monet ». Elle le cachait, mais, à l'évidence, cela lui faisait plaisir. La cérémonie avait eu lieu à Paris, le 28 juin, dans le huitième arrondissement, où elle était domiciliée chez ses parents. Heureux de la réconciliation avec leur fille et de pouvoir faire des projets avec leur petit-fils, vu jusqu'alors à la dérobée, ils avaient assisté à la cérémonie en mairie et promis une petite dot. Il n'y avait pas eu de messe. Puis les jeunes mariés étaient partis sur la côte de la Manche, où Monet s'était promis de travailler tout l'été. Les yeux lavés par le vent de la mer, sur ce morceau de linge enduit de blanc, tendu entre quatre bouts de bois, il fixerait si exactement la lumière sur les choses que le jury du prochain Salon ne pourrait rien refuser de ce qu'il présenterait. On saurait alors qui était Claude Monet. On saurait ce que pouvait voir un homme du paysage du monde et comment, l'ayant saisi avec un pinceau et quelques tubes de couleur, il pouvait l'installer au milieu des autres hommes, beau et tremblant dans son cadre doré, longtemps et toujours vivant. Les acheteurs se battraient, les commandes afflueraient et ils seraient riches. Alors, ils achèteraient une maison loin de Paris, avec un verger et un grand jardin. En attendant, la dot de Camille leur promettait une saison de villégiature à la mesure de l'avenir.

Jamais, tandis qu'en quittant les faubourgs ils se détachaient de la capitale obscure, il n'avait éprouvé en lui une énergie à ce point concentrée sur l'objectif et une force d'aimer si grande. Chaque élément du paysage un instant suspendu à la vitre avant de disparaître, remplacé par un autre dans le glissant panorama du voyage, était adorable. Les prés succédaient aux prés, les vaches aux vaches, les chemins aux chemins, les fermes aux fermes, les clochers aux clochers, les villages aux villages. Dans les rues des villes traversées, ces travailleurs arrêtés par le regard du voyageur devant le tas de sable où était plantée leur pelle, la planche qu'ils gravissaient, un sac de charbon sur le dos, le mur qu'ils crépissaient, le miroitement du carreau qu'ils posaient à la fenêtre, le signal de voie qu'ils manœuvraient, étaient le travail, l'effort humain, la vie laborieuse.

Son regard quittait l'extérieur du train et, dans le compartiment, se posait sur sa femme et son fils. Jean allait avoir deux ans. Camille, qui ne pouvait plus le tenir longtemps sur ses genoux, l'avait assis près d'elle sur la banquette, le dos bien droit, les jambes écartées, allongées sur la moleskine du siège. Avec son petit chapeau sur la tête, il était sérieux comme un pape. Camille trouvait qu'il ressemblait à son père, celui-ci trouvait qu'il ressemblait à sa mère. La tendresse du père pour le fils, comme le désir de l'homme pour la mère, avait augmenté l'artiste, avait mis son être, sa vie, aux dimensions du monde. Par eux, par la chair de ces êtres, l'éclat de leurs yeux et leurs voix accordées, le jeu des ressemblances dans l'enfant aux joues rondes, rien ne lui était étranger. Sa poitrine était gonflée à éclater. Peindre, peindre, peindre.

Ils avaient pris pension à l'hôtel Tivoli, un établissement au toit bordé de lambrequins, dans une petite rue de Trouville. Le lendemain de leur arrivée, de bonne heure, le peintre était sur la plage. L'horizon gris mouillé fondait au soleil qui montait par-dessus la mer, tandis que les promeneurs peuplaient lentement la plage. Les vagues semblaient fuir devant les bourgeois en villégiature. Six heures après, elles revenaient, en longues lames rases frisant sur le sable, et chassaient les humains contre la digue. Au loin, vers le nord, c'était Le Havre dont il distinguait les lumières à la nuit tombée. Il peignait ce qu'il voyait et c'était chaque soir le désespoir de n'avoir pu fixer l'impossible, le reflet d'acier sur la mer soudain révélé par une déchirure dans l'amoncellement de nuages, les lèvres d'argent de la blessure et le faisceau de clarté qui en tombait. Il laissait passer là-dessus la nuit, le sommeil et la fantaisie des rêves, et le lendemain, souvent, grattait la couche de couleurs encore humide. Comme le jour recommence chaque jour, il recommençait. Cette immense vue d'eau et de vapeurs, aux incessantes variations, était sa joie et son désespoir. Il attrapait au pinceau les drapeaux flottant au vent de la côte, la façade dorée des Roches Noires à midi, et les silhouettes des pensionnaires et touristes, une virgule sombre pour les hommes, une claire pour les femmes. Cela, sur la toile, existait soudain. Et durait.

Il peignait sa femme. Malgré l'ombrelle qu'elle portait sur la plage et en promenade, son visage s'était légèrement hâlé. Le soleil avait brûlé sur elle les traces de l'angoisse et l'air de la Manche l'avait décrassée de Paris. Camille avait vu la mer pour la première fois avec Monet, et l'avait reconnue. Elle était exactement comme sur les tableaux de son mari, de la lumière mouvante. Les séances de pose sur la plage, assise sous l'abri de toile claire, lui étaient légères. La jeune femme adorait lire. Elle avait toujours dans son sac un roman ou un recueil de poèmes que la moindre occasion lui était prétexte à ouvrir : dans l'omnibus, dans le train, pendant le repas, au petit déjeuner. La gravité attentive de la lecture épurait ses traits, le front, le nez, l'extrémité des lèvres, l'arrondi du menton étaient d'une seule ligne, nette et précise. Le contour de cette tête aimée, surimposé sur l'horizon de son enfance, donnait à l'existence de Monet une profondeur sereine, celle d'un accomplissement. Il avait atteint en lui une vérité et la tenait. Il pensait à cela, la ligne bougeait, et le visage de Camille, tourné vers lui, n'était qu'un sourire tendre et moqueur. Lorsqu'elle ne lisait pas, elle cousait ou regardait le vol des mouettes. Jean jouait à ses pieds. Le regard de Monet l'enveloppait tout entière en même temps que le sable et le ciel autour d'elle. Le peintre mêlait sa femme au monde. Il fixait dans le jour l'étreinte de la nuit. Camille avait ce calme satisfait qu'il admirait, cette tranquillité de la chair heureuse qui absorbait l'inquiétude de l'homme aimé. Dans le souffle léger de sa femme, il lui semblait que s'évaporaient, par quelque mystère inconnu des lois de la physiologie, sa peur de l'échec, sa colère et sa tristesse. Camille se levait, ôtait ses sandales, relevait le bas de sa robe, et, la pointe des pieds effleurant le sable brûlant, trottait avec Jean jusqu'au bord de l'eau, la flaque tiède où finissait l'océan.

La déclaration de guerre de la France à la Prusse, le 19 juillet, n'avait rien changé pour Monet, pas plus d'ailleurs que pour les bourgeois en vacances, sauf leurs sujets de conversation et la vivacité avec laquelle ils déployaient les pages de leur journal. Ils avaient le visage sévère et d'un geste martial faisaient claquer les feuilles imprimées en les dépliant. Lorsque la cavalerie française avait bousculé quelques douaniers sarrois à Wissembourg, à la fin du mois de juillet, ils avaient parcouru les pages imprimées d'un air résolu et farouche. Aux premiers revers d'août, ils avaient commencé de prendre cet air de chien battu, entrecoupés d'aboiements de rage, qu'ils ne devaient plus quitter. À part ça, le café au lait, le chocolat, les brioches et la confiture étaient comme avant.

Comme avant, le travail dans le matin clair, le déjeuner sur la plage, les séances de pose de Camille, la promenade du soir, les brillants couverts sur la nappe blanche du dîner, la nuit tiède et le drap léger sur les corps délassés. L'été avançait, Monet travaillait, Jean était aussi beau que sa mère. Le garçon d'étage leur apporta un jour la lettre de Bazille qui annonçait son engagement, puis, à la fin du mois d'août, celle écrite par Renoir depuis la caserne où il venait d'être incorporé. Alors Monet commença de sentir sur ses larges épaules des regards appuyés. Il lui sembla que chaque passant croisé, chaque convive dans les restaurants, se demandait ce que faisait ce gaillard aux yeux noirs, puissant et râblé, éclatant de santé, dans une station balnéaire de la Manche où l'on commençait à croiser les blessés des premières batailles en permission de convalescence. À table, il prenait Jean sur ses genoux.

L'annonce des défaites successives et des progrès de l'invasion, les appels aux armes et à l'Union nationale dans la République nouvelle qui s'ensuivaient, accentuaient son malaise et les craintes de Camille. La république, il l'avait tellement désirée autrefois, chantée dans les cafés du quartier Latin, et, maintenant qu'elle était là, avec ses vieux chants et ses mots vibrants : « allons enfants de la patrie… », « la République nous appelle… », lui était sur la plage et, chaque soir, dînait à l'hôtel Tivoli. Il se souvenait de ses camarades du 1er régiment de chasseurs d'Afrique qui devaient maintenant servir dans la Garde mobile ou les Corps francs. Combien étaient morts déjà, combien mutilés ? Et Bazille, qui monterait bientôt à son tour. Quelle cible pour les fusiliers prussiens que ce grand couillon. Si cette guerre déjà perdue, si cette folie de la défense à outrance, à cause de ces va-t-en-guerre sans cervelle et bavards, ne s'arrêtait pas maintenant, ce noble cœur n'en reviendrait pas, il en avait l'intuition, la douloureuse certitude. C'était si beau sa *Réunion de famille* sur la terrasse à Méric, où il lui avait promis d'aller les voir, lui et ses cousines, et constater comme étaient splendides au mur du salon de ses parents ses *Femmes au jardin*. Le passé était fait de ces promesses perdues. Et Renoir, qui se moquait des uniformes, qui riait en voyant un chien happer le pantalon du facteur, était devenu soldat. Lui aussi irait à l'abattoir. La mort, la Prusse et les Prussiens, la France et les Français le dégoûtaient. Il peignait le ciel et la mer, sa femme et son enfant. Pour cela il devait vivre et travailler. Il devait peindre, il devait absolument continuer de peindre.

Les autorités publiques, sur instruction du gouvernement, préparaient la défense du Havre et de son port. Les hommes de la région étaient requis pour en garnir les tranchées et les bastions et patrouiller dans la région. On voyait du bleu partout, et, sur les hommes en uniforme approximatif, les petits képis qui dansaient dans les chemins creux et dans les rues étroites. La situation du jeune peintre était intenable, les passants qui regardaient la toile sur laquelle il travaillait ne montraient plus seulement de l'incompréhension, mais du mépris. Et puis l'argent, comme toujours, commençait de manquer. En allant voir son père au Havre, il avait vu des groupes de civils processionner sur les passerelles des transatlantiques à quai. Ces gens embarquaient pour l'Angleterre. Il se renseigna, en parla avec Camille, qui l'encouragea à partir sans délai, elle le rejoindrait ensuite avec Jean, dès qu'il aurait trouvé à Londres un logement pour eux trois. La décision prise, elle précipitait son départ, l'éloignait d'elle-même, de crainte qu'il ne fît volte-face et finalement s'engageât. Elle devinait, malgré ses imprécations contre la guerre, les excités du patriotisme et les boutefeux de tous poils, que cela le tourmentait.

Au milieu de l'automne, au moment où l'armée de la Loire achevait de se rassembler avant de marcher sur Paris assiégé, Monet prit le bateau au Havre. Camille et l'enfant étaient restés à Trouville avec le peu d'argent qui subsistait de la dot et quelques tableaux que des amateurs, malgré les désordres du temps, voudraient bien, peut-être, acheter. La mer était grise, gris le ciel, gris le jour. Monet, appuyé au bastingage, regardait la terre s'amincir et s'allonger sur l'eau. Les mâts des navires, les grues du port et les clochers, cette écriture des hommes sur le bord de l'infini, avaient disparu, fondus dans la masse des éléments. La côte, serrée entre les étendues grandissantes du ciel et de la mer, n'était plus qu'un trait. Il essayait de poser sur ce trait les points géographiques – Deauville, Trouville, Honfleur, Le Havre, Sainte-Adresse, Étretat, Fécamp, Dieppe – où il avait autrefois dressé sa toile, seul, ou avec celui par lequel tout avait commencé, Boudin. Ici, il avait rencontré l'étonnant Jongkind, un poivrot qui peignait comme on respire et saisissait le paysage d'une main légère, là, il avait séjourné, vacances studieuses et bohèmes, avec Bazille et Renoir. Et Sisley. Un sacré lapin cet Anglais, qui les faisait bien rire quand, échouant à séduire la jeune servante, il se rabattait sur la patronne. Où pouvaient-ils être maintenant, les bons amis de sa jeunesse dispersés par la guerre ? De chacun de ces points, il avait peint l'horizon dans lequel il disparaissait maintenant.

À Londres, il rejoignit la forte colonie française rejetée de l'autre côté de la Manche par les remous de la guerre. Les artistes y formaient un groupe à part qui fréquentait le même café où ils s'efforçaient de réinventer un coin du pays perdu. Ni avec eux, ni avec les autres expatriés, il ne parlait de la guerre. Leurs conversations évitaient le sujet et, lorsque par mégarde ils y avaient fait allusion, ils épuisaient vite l'échange et se défoulaient en imprécations contre ce jean-foutre de Badinguet. Les invectives cessaient lorsqu'ils se rappelaient qu'après le désastre de Sedan et la proclamation de la République, la famille impériale avait trouvé refuge en Angleterre, comme eux. Ils revenaient alors à des considérations moroses sur leur dénuement et la dureté de la vie à Londres. Ils parlaient de leurs malheurs pour ne pas parler de ceux de la patrie. Il semblait à Monet qu'elle était tombée de son cœur, qu'il l'avait perdue en traversant la Manche. Un jour pourtant, après l'armistice qui avait mis fin aux hostilités entre la France et ce qui était devenu l'Empire allemand, dans la lumière glauque d'un pub aux vitres sales, son regard s'arrêta sur la page d'un journal où paraissait quelque chose de bizarre. C'était une carte de la France dans les limites nouvelles que lui donnaient les préliminaires de paix. Il la regarda et quelque chose remua en lui, qui ressemblait à une douleur. Le dessin lui parut hideux. Cet affaissement du trait, à la frontière est du pays, faisait injure à l'harmonie de formes données, croyait-il, une fois pour toutes. Un boulet de canon avait emporté l'épaule du pays. Dans la déchéance des cartes, la réalité de la défaite lui était apparue.

La rencontre de Daubigny, peintre que Monet et ses amis estimaient, fut l'un des rares événements heureux de cet hiver londonien. Le paysagiste à la réputation établie avait entendu parler de ce garçon prometteur. Il savait que son caractère intransigeant l'avait fâché avec une bonne partie de ses pairs. Certains de ses tableaux, vus à Paris, l'avaient frappé par leur liberté et leur originalité. Au dernier Salon, il avait démissionné du jury parce qu'on y avait rejeté tous les travaux présentés par le nommé Claude Monet. Dans ce tremblé des formes qui le déconcertait, ces couleurs crues, ces ombres éclaircies, il reconnaissait, en bon peintre et honnête homme, une précision du geste surprenante. Il trouva à son jeune compatriote une franchise un peu brusque mais de bon aloi, une intelligence droite, aux vues larges, que sa poignée de main, sèche et chaude, confirmait. Accrue par la commune précarité de leur situation en terre étrangère, la sympathie entre eux fut immédiate. Daubigny le présenta au marchand de tableaux Paul Durand-Ruel, qui avait replié ses affaires en Angleterre, où la peinture française se vendait bien. Lui aussi connaissait le nom de ce jeune Monet, qu'on ne confondait plus avec celui de l'auteur d'*Olympia*, et avait repéré ce qu'il y avait de neuf et d'inspiré dans ce qu'il avait vu de lui.

Camille était entre-temps arrivée à Londres, avec Jean et les tableaux qui lui restaient. Ils prirent une chambre chez l'habitant, d'abord dans la City, puis, au début de l'année 1871, à Kensington. Dans ce quartier où se trouvaient l'ambassade et le consulat de France vivaient de nombreux compatriotes. Expatriés depuis longtemps ou exilés de fraîche date, ils avaient imprimé à l'animation des rues, aux commerces, un ton, des couleurs qui évoquaient le continent. Ce coin de Londres plaisait à Monet. L'alignement des maisons aux façades blanches, à deux étages, séparés du trottoir par la fosse du sous-sol, le perron et une courte clôture, avait quelque chose de provincial. Il y flottait cet air de prospérité ancienne et tranquille qui passe les frontières. Les bâtiments étaient à peu près construits comme en France, pourtant chaque élément était différent, singulier. Tout semblait avoir été pensé, dessiné et bâti contre le sens commun, et pourtant tout était cohérent, d'un goût étrange, mais raffiné et confortable.

Dans les avenues qui se coupaient à angles droits, le jour, bien qu'assourdi par un voile de brume perpétuel, se couchait plus à son aise qu'entre les hauts immeubles parisiens. Le Muséum national d'histoire naturelle se trouvait par là, ce qui enchantait Monet. On débouchait des rues bien ordonnées sur le foisonnement des arbres que semblaient difficilement contenir les murs et les grilles. Le peintre était allé voir les animaux sauvages empaillés, les aquariums, les collections d'oiseaux, les apparences de la vie, tout un monde réduit au silence. Monet s'amusait à observer les habitants, sanglés dans leurs vêtements noirs, flâner dignement entre les bêtes de la jungle, les vitrines pleines de crânes, d'ossements, d'objets étranges et d'étiquettes, et les fenêtres qui donnaient sur la verdure. Il admirait l'allure des élégants. Leurs habits étaient taillés dans des étoffes souples venues des pluvieuses collines du pays et de leurs riches colonies. Soigneusement ajustés, ils étaient portés non pour cacher les imperfections des corps mais exprimer, dans l'aisance et sans insister, l'harmonie singulière d'une volonté. Dès qu'il aurait de l'argent, il se ferait tailler un complet dans un beau tweed.

Il attendit. Malgré ses efforts, Durand-Ruel ne parvenait pas à écouler les tableaux apportés par Camille. Ce n'était pas le nationalisme qui en détournait les amateurs britanniques, puisque

Daubigny, lui, vendait bien. Le bourgeois anglais était aussi routinier que le bourgeois français, et encore plus attaché à l'argent. Il peignit, pour lui-même, Camille lisant dans leur chambre londonienne. L'attitude lui était si habituelle qu'elle avait à peine posé. Les jambes étendues sur le canapé, le livre à la main, ses doigts marquant la page dont elle venait d'interrompre la lecture, elle regardait vers la fenêtre. Que regardait-elle ? Rien, sans doute, que les paysages intérieurs ranimés par les phrases imprimées : le printemps en France, les conversations et les appels au marché, entre les bruits des cageots et des paniers remués, les tintements des poids dans les balances, les gloussements des poules, les protestations des canards mécontents d'avoir voyagé, le trait de cuivre du chant du coq. L'aube grise du départ, quand le paquebot s'était lentement détaché du quai du port du Havre, l'avait suivie jusqu'ici, aspirée par le sillage du navire. Elle s'était épaissie avec l'hiver tôt venu dans la grande île, mélangée par les longues pluies aux empanachements crasseux des usines. La vie en Angleterre les rapprochait. Ils étaient l'un à l'autre ce qu'ils avaient emporté de France.

Au café, Monet avait rencontré Pissarro, parti avant lui et installé avec sa famille nombreuse à Londres, dans un misérable appartement. Le peintre des coteaux de Pontoise et des berges de l'Oise lui montra ses premiers tableaux londoniens, ses tentatives pour attraper les pesants et suspects brouillards de la capitale anglaise et les eaux indéfinissables de la Tamise, où le soleil parcimonieux avait tant de mal à déposer quelques reflets. Ils travaillèrent ensemble, comme pour s'épauler devant des paysages qu'ils n'avaient pas choisis, qui leur étaient véritablement, ceux-là, extérieurs. Ils saisissaient la silhouette des ponts flottant entre deux grisailles que mordorait par endroits une faible lumière, les sombres bateaux dont le gréement griffait on ne savait quoi. Quand ils en avaient assez, ils allaient à la National Gallery voir comment les peintres anglais s'étaient débrouillés avec la campagne de leur patrie. Ils s'émerveillaient et le sentiment de l'exil s'approfondissait.

L'annonce de l'armistice de janvier ne leur avait apporté qu'une douloureuse bouffée d'amertume venue du pays et pas le soulagement de le retrouver bientôt. La crise politique suivait la défaite. Paris faisait sécession, la guerre civile couvait. La petite colonie française le sentait d'autant mieux qu'elle voyait les Anglais tranquillement vaquer à leurs affaires, les bateaux sur la Tamise charger et décharger des avalanches de marchandises, leur petite reine replète inaugurer de gigantesques palais civils aux toits transparents et corsetés d'acier. Monet rêvait de chemins creux, de bocages, de ciels bleus et roses, et de cerises.

L'agitation vaine et désordonnée de la Commune et son impitoyable répression avaient été une source de scandale pour les Anglais et d'humiliation supplémentaire pour les expatriés. Monet ne supportait plus sa vie de peintre sans clients à Londres. L'aigre printemps qui faisait grincer le vent dans les arbres de Kensington n'y avait rien changé. Il fallait partir. Rentrer en France ? À l'énoncé du mot, lui venaient des odeurs de sang et les cris exaspérés des furieux. On y persécutait maintenant Courbet. On l'aurait même fusillé, disait-on, ce grand et généreux imbécile, qui, en quelques tableaux, avait plus fait pour la gloire de la France que tout le gouvernement réuni autour d'Adolphe Thiers. Il revoyait de mémoire *L'Enterrement à Ornans* : ces gens recueillis autour de la fosse, leur digne douleur, quelques mots du prêtre dans le silence, la croix dorée que tient un enfant de chœur. Au-dessus d'eux, la falaise de craie, depuis des millions d'années, éclaire l'étroite vallée et, la nuit, réfléchit sur les toits de leurs maisons endormies un peu de la chaleur du jour passé. Il pensa à Frédéric qui n'avait eu de linceul que la neige de décembre, et de tombe que le trou dans la terre où l'on jetait les corps des tués.

Des monticules de terre retournée, qui lentement s'affaissaient sur les cadavres en décomposition dans les fosses communes, il y en avait maintenant un peu partout, disséminés dans les cimetières de Paris et dans la campagne avoisinante. Il avait reçu des lettres de Renoir et d'autres amis qui racontaient les combats, les fusillades, les destructions, les pillages, les incendies auxquels ils avaient assisté, parfois de près. Les Parisiens avaient mangé les animaux du Jardin des plantes, ils s'étaient mal chauffés avec les arbres des squares et des boulevards. Les avenues et les carrefours avaient été retournés, de l'Hôtel de Ville, des Tuileries, du palais de la Légion d'honneur, du Conseil d'État ne subsistaient que des façades calcinées entre lesquelles coulait la Seine. Les épaves des bateaux et des péniches sombrés dans le fleuve émergeaient au ras de l'eau verte. Les mouettes s'y perchaient. On s'était battu dans les villages et les pays d'Île-de-France, les ponts avaient sauté. Rien de ce qu'il aimait n'avait été épargné. Tout était noir, souillé, infect. Il se réveillait la nuit, en sueur, survolant un paysage de désolation. Partir.

Ce fut la Hollande ; un horizon maritime jusqu'à l'intérieur des terres, des nuages allongés dans le ciel gris-bleu, des gens simples et durs, taiseux et opiniâtres, comme lui. L'accord fut immédiat. Ils avaient trouvé à s'héberger dans un hôtel à Zaandam, une petite ville au nord d'Amsterdam où ce peintre français bien vêtu et peu bavard, accompagné de sa jolie femme et de leur petit garçon, avait attiré une curiosité bienveillante. Pendant les premiers jours, il respira l'air des environs au cours de longues promenades, en tirant sur sa pipe. Il s'arrêtait pour en vider la cendre contre son talon et restait là, à bourrer de tabac le fourneau tiède, avec des gestes précis et machinaux, le regard dans le vague. Ses yeux pesaient le ciel et ce qui était dessous. Tout était frais et vif dans ce printemps hollandais, nouveau et en même temps familier. Gonflées par la bouche d'un dieu amical, les couleurs des voiles accrochées au bras des moulins tournaient tranquillement. Les bateaux glissaient au ras des rives et l'on entendait les mariniers s'interpeller, se prévenir en paroles rudes et brèves. Les champs de la mer prolongeaient ceux de la terre, à l'infini. Le temps avait la légèreté de l'atmosphère. Une fraîcheur limpide conservait à la lumière, jusqu'à la fin du jour, la jeunesse du matin. Le pays étranger, son paysage nouveau, aux nuances innombrables, infusait en lui, trouvait dans ses souvenirs de secrètes correspondances. Un soir, dans la chambre, il déballa son matériel, le vérifia et prépara deux toiles. Le lendemain, il plantait son chevalet sur le talus de la Zaan.

Le désir de peindre lui était revenu avec violence. Il attaquait plusieurs tableaux en même temps, cherchant toute la journée comment distinguer l'air de l'eau, comment dessiner entre eux les berges, et, sur elles, poser moulins et maisons basses. Il louait une barque et s'en allait sur la marelle liquide des canaux. La crainte de se perdre le rendait plus attentif encore à fixer ses repères, identifier les spécificités du semblable. Camille l'accompagnait avec Jean dans les courtes promenades que lui permettaient les petits pas de l'enfant. Monet lui disait son bonheur de travailler, prédisait ce qu'ils allaient gagner d'argent avec ces toiles à peine sèches qui commençaient de recouvrir les murs de la pièce où ils vivaient. La voix douce de sa femme, par des objections raisonnables, relançait le discours du silencieux. Les touches de couleurs, qu'il apposait vite et précisément sur la surface blanche, peignaient le monde et leur avenir dans le monde. Les choses d'aujourd'hui sous leurs yeux et celles qu'ils posséderaient demain seraient simples et belles, accueillantes à la lumière qui affluerait dans leur maison. Des fenêtres, sous un vaste morceau de ciel changeant, ils verraient le jardin en fleurs du début du printemps à la fin de l'automne, transi de givre en hiver. Devant elles, la table serait dressée et les déjeuners dureraient longtemps. Ces conversations du soir, elle le savait, lui faisaient du bien, le délassaient de ses heures de travail et préparaient celles du lendemain. En attendant l'aisance et la facilité de vivre, elle avait trouvé le moyen de gagner un peu d'argent par des leçons de conversation et de manières françaises données dans des familles de la bourgeoisie hollandaise de Zaandam.

Les joues de Camille étaient redevenues rondes et lisses, et la vie rouge affleurait sous la peau blanche. L'été hollandais avait effacé les plis d'inquiétude et de fatigue au coin de ses lèvres. Ourlées, gonflées, elles semblaient s'effleurer, à peine jointes sur un sourire intérieur, comme du temps où elle posait dans la robe verte, celui des premières nuits. Les bourgeoises de Zaandam étaient plus grandes, plus fortes, avaient une prospérité du corps enviable, mais on ne les voyait plus lorsque Camille paraissait. Son visage se détendait dès qu'elle apercevait son fils ou Monet, et n'était plus qu'intelligence et grâce. Ses gestes cherchaient moins l'efficacité qu'un rapport harmonieux aux choses. Elle était vêtue avec élégance et l'on se disait que cette femme de peintre avait appris à son mari l'art des couleurs et des formes. Son intuition du monde, Monet, sur bien des points, la devait à Camille.

Ils rentrèrent à Paris à l'automne, quand le vent et la pluie commencèrent de chasser Monet du vaste atelier en plein air qu'avait été pour lui la Hollande, et prirent pension dans le quartier de Saint-Lazare qui leur était familier. Ils retrouvèrent les amis à peine remis du drame, Courbet en prison, et les traces refroidies de l'affreux printemps. Déjà, partout, les ouvriers sur les chantiers remettaient en état, démolissaient les ruines, reconstruisaient. Les chalands débarquaient sur les quais de la Seine de grands blocs de pierre blanche fraîchement sciés. Les paveurs, attentifs et précis, étaient penchés sur les lits de sable et les cubes de granit. Des échafaudages ceinturaient les immeubles noircis, les maçons et les charpentiers en faisaient le tour, les chevaux tiraient sur les poulies. À la furie destructrice avait succédé une frénésie réparatrice. Déjà on oubliait. Paris, en léchant ses plaies, se pardonnait à lui-même.

Monet avait tenté de renouer le lien avec la ville en allant brosser des bords de Seine. L'éblouissement de ses dix-huit ans lui était revenu fugitivement et atténué. De l'hôtel situé devant la gare – sa façade de palais byzantin appelait en lui des images de la Normandie – il allait jusqu'à l'Opéra, en descendait l'avenue, passait devant la Comédie-Française, franchissait les guichets du Louvre, regardait le squelette noirci des Tuileries que traversait le jour et s'arrêtait au Pont-Neuf où il avait rendez-vous avec Renoir. Un jour, il avait trouvé son ami en route, les joues plus creusées encore, abîmé dans sa songerie, à hauteur du Carrousel. Il fixait là les restes brûlés du palais parisien des rois et de l'Empereur. « Tu vois, dit-il, du doigt traçant sur la dentelle sombre de la muraille une droite imaginaire : il y avait une rue qui passait à cet endroit, derrière les Tuileries. Mon père y avait sa boutique et j'ai grandi là. Par une de ces fenêtres, la reine Amélie jetait des bonbons aux gosses du quartier, pour nous faire taire quand on s'agitait un peu trop. Il n'y a plus rien maintenant. »

Le travail ne donnait pas grand-chose, mais il avait plaisir à retrouver son camarade à deux pas de l'atelier de Charles Gleyre où ils s'étaient connus. Ils causaient en fumant, accoudés au parapet du pont qu'avaient lissé tant d'avant-bras et de paumes, ou s'asseyaient à la terrasse d'un café pour boire un verre de vin. Renoir imitait l'accent suisse de leur vieux maître, celui de l'élève anglaise, et d'autres. Ils se rappelaient les premières sorties en forêt de Fontainebleau, à Chailly, le travail côte à côte, chevalet contre chevalet, devant la Grenouillère de l'île de Croissy, à Bougival. Les filles qui sortaient de l'eau, ruisselantes, plus nues, plus désirables que les modèles d'atelier, avec leurs maillots trempés plaqués sur le corps. À trente ans, ils goûtaient, dans sa jeunesse, le plaisir d'une nostalgie commune que le souvenir de Frédéric veinait de tristesse. La guerre en avait précipité l'épanouissement. Renoir était resté célibataire et vivait comme avant, étudiant prolongé, subsistant d'un tableau vendu de temps en temps, entre ses parents, retirés à Louveciennes, et des hébergements de fortune chez l'un ou chez l'autre, dans la capitale. Monet n'éprouvait aucun regret de cette vie de bohème. Il remontait à pied jusqu'à son atelier, en flânant, avant de retrouver Camille et Jean à l'hôtel. Devant la fenêtre, tandis qu'à ses pieds remuaient en tous sens les passants et voyageurs qui quittaient ou gagnaient la gare, Monet retouchait ses études de Zaandam. Manet, venu les regarder en voisin, les avait admirées. Elles se vendaient.

Monet étouffait à Paris, Camille maigrissait. Le square où elle conduisait Jean, passé l'automne, avait perdu tout attrait. Les tas de feuilles noircies et vernies de pluie, les allées jaunes trouées de flaques, les arbres griffonnant sur les façades blêmes et le grincement du portail, c'était le début d'un long hiver dans la ville charbonneuse. Auprès de Manet, avec lequel les liens s'étaient resserrés, Monet se plaignait de son ennui, d'un sentiment d'oppression, disait son besoin de campagne, de terre et de ciel. L'éclatante beauté des toiles qu'il avait ramenées de son été aux Pays-Bas et l'embourbement de son travail à Paris avaient conduit Manet à lui signaler un pavillon à louer chez des amis, à Argenteuil. La petite ville était à onze kilomètres de la capitale, quinze minutes de voyage en train depuis la gare Saint-Lazare.

Un dimanche de décembre, avec Camille, Monet était allé voir. Par la fenêtre de leur compartiment, passé les fortifications, ils regardaient Paris se dissoudre dans la campagne. Aux glacis labourés par les canonnades de l'hiver dernier, succédèrent les usines, leurs cheminées, des baraques misérables, les cabanes, les potagers, les cultures tirées au cordeau des maraîchers, les villas neuves dans les lotissements. Sur la droite, à l'ouest, par-dessus les champs et les bicoques, avait émergé la tour pointue de la basilique Saint-Denis. Enfin, dans un fracas d'acier, à travers les poutrelles dont le défilé rapide passait le paysage au hachoir, ils virent le fleuve libéré de son couloir de pierres taillées. Le train avait franchi la Seine une première fois, à Courbevoie, où elle conservait l'aspect parisien d'un luxueux canal. Devant Argenteuil, elle était large et profonde, plus verte entre ses talus d'herbe, provinciale et déjà normande. Il lut au mur de la petite gare la pancarte « Argenteuil ». Lui vint à l'esprit l'image de ces feuilles de peupliers qui, retroussées par un coup de vent, en milliers d'éclats font miroiter leurs ventres blancs.

La maison, près de la gare, leur plut tout de suite. Ses propriétaires, les Aubry, amis de Manet, aussi. Simple et bourgeoise, elle était entourée d'un jardin clos de murs où les arbres, déjà grands, donnaient l'illusion d'un parc. Ils semblaient une délégation de la forêt qu'on voyait, au nord, allonger sa hure sur la colline de Sannois. Sa côte abrupte soulevait le bord de la ville et portait les alignements de vignes et vergers jusqu'au sommet où grisonnaient les hêtres. Camille parcourait les pièces vides. Sa robe faisait un joli bruit de tissu froissé au passage des portes. Monet, les mains dans le dos, allait d'une fenêtre à l'autre en faisant résonner ses pas avec entrain sur le parquet de chêne ciré. Tout lui convenait, ses narines frémissaient. Les mouvements de sa femme peuplaient déjà les pièces de la maison, la cuisine, la salle à manger, la pièce qui serait leur chambre, la plus grande, qui donnait sur l'arrière. Dormir là, s'éveiller dans la pièce obscure et tiède. Il imaginait la première aube, les rais de lumière sur le plancher, le cliquetis de la crémone, le miroitement léger des vitres qui pivotent, le double claquement des volets contre le mur. Le jour entrait dans la maison et le jardin dans ses yeux.

M. Aubry l'y conduisit. La végétation estompant les murs, il paraissait beaucoup plus vaste qu'il n'était en réalité. Ils convinrent que c'est comme cela que devait être un jardin. Quelques mètres carrés travaillés de sa propre main suffisent à la rêverie qui, elle, est sans borne. Ce que Monet avait sous les yeux était penaud comme un jardin délaissé, au début de l'hiver, mais il envisageait déjà ce qu'il en ferait. Couper cet arbre pour permettre à son voisin d'épanouir son feuillage – il serait jaune dès le début d'octobre –, supprimer cette allée de terne gravier que grignotaient les pissenlits, accroître les plates-bandes où viendraient les fleurs hautes. Tout était à revoir, et il voyait tout. Le bail fut signé aussitôt. Ils allèrent boire le thé et manger de la brioche dans la propriété voisine, chez les Aubry. Monet regarda un tableau de Manet pendu au mur de leur salon, et, derrière la fenêtre, de l'autre côté de la rue, ce qui serait leur première vraie maison.

Ils emménagèrent dans les jours qui suivirent. L'affaire fut rapidement conduite. Le couple ne possédait que quelques meubles donnés par les parents de Camille et des malles de vêtements, de livres et de jouets. Des tableaux aussi, mais beaucoup moins. Les paysages de Hollande avaient trouvé des amateurs et Durand-Ruel achetait régulièrement. Ils aménagèrent leur maison sans hâte. Faire durer le désir des beaux meubles et des jolis objets, la bourse pleine et la satisfaction certaine, était une volupté. Ils feuilletaient des catalogues, palpaient des étoffes. Ils rêvaient leur vie au moment de la vivre.

Monet était attentif à ce que l'ameublement de leur maison soit conforme à ses goûts, mais il se reposait pour cela sur Camille. Il disait ce qu'il souhaitait, ce qu'il ne voulait pas et leurs goûts s'accordaient. Une étouffante médiocrité, l'esprit d'épargne sur tout, et sur la vie d'abord, le repli frileux sur la famille, la conformité à ce qu'il convient de penser et ce qui est convenable, la crainte des courants d'air et les fenêtres à demi occultées, par défiance du jour et de ce qu'il pouvait apporter, avaient serré leur enfance et leur adolescence. Le dégoût de cette sécurité familiale inquiète et mesquine, cet esprit de terrier, leur avait fait choisir le risque et l'audace. Il continuait de déterminer la manière d'habiter leur maison : des formes simples, des lignes précises, des couleurs vives et franches, de l'air et de la lumière.

Avec appétit, Monet parcourait Argenteuil et ses abords. Quittant le quartier neuf de la gare, il allait vers le vieux centre, sans manteau, un chandail sous la veste étroitement boutonnée, une écharpe autour du cou, un drôle de chapeau mou enfoncé sur la tête. Les rues se resserraient à son passage et les façades des maisons, l'une penchée, l'autre ventrue, venaient vers lui avec l'amitié des choses anciennes. Il remontait le temps. Les bruits du travail, fer martelé, cuir frotté, bois scié et cloué, débordaient des ateliers ouverts sur la rue. Le peintre respirait la petite ville. Il dépassait les carrières à plâtre et montait à travers les vignes jusqu'au moulin d'Orgemont. De cette hauteur déblayée par le vent, il regardait son nouveau territoire : Paris au loin, sur lequel flottait un édredon sale, les gribouillis de la banlieue, le fleuve, la campagne qui commençait devant lui et les marges du vieil Argenteuil où s'élevaient les colonnes célibataires des cheminées d'usine. Il suivait les deux lignes des ponts routiers et de chemin de fer, détruits pour retarder l'envahisseur prussien et récemment reconstruits. Celui où passaient les voitures et les piétons était encore échafaudé. La fumée des bateaux à vapeur s'échevelait entre les montants métalliques du tablier neuf et les étais de bois. De l'agglomération étalée, il reconnaissait les quartiers neufs, les lotissements allongés près de la voie ferrée, des pavillons au milieu de minuscules carrés buissonneux. Le sien.

Au retour, le peintre traversait de nouveau la ville, en variant l'itinéraire. Repassant près de l'église, le cœur dormant du bourg, il achetait un journal et s'installait au café pour le lire. Tandis que le soir tombait derrière les carreaux troublés, il sentait la chaleur du vin monter à ses joues et ses membres s'engourdir à la buée du poêle. Entouré par les conversations à voix forte des consommateurs et les exclamations des joueurs de cartes, artisans et petits rentiers, il reposait ses jambes de leur marche en parcourant les nouvelles du monde. La nuit était établie lorsqu'il rentrait. Il poussait la porte et lui venait au visage, dans une bouffée moite, l'odeur de la soupe préparée par la cuisinière récemment embauchée. Dans la cuisine, attablé devant elle, Jean jouait avec les épluchures ou, sans rien dire, avec une extrême attention, en contemplait les arabesques. Monet lui ébouriffait les cheveux en demandant de quoi était faite la soupe et ce qu'il y aurait après. Il allait ouvrir une bouteille de bourgogne. Son matériel remisé, il retrouvait Camille au salon, allongée sur la méridienne – le premier meuble qu'elle avait acheté – où elle lisait. Il l'embrassait, en lui caressant le bras, rond, chaud et tendre sous la soie. Il tisonnait le feu dans la cheminée, y remettait une bûche et prenait, lui aussi, en attendant que l'on vînt les prier de passer à table, un livre dans la bibliothèque aménagée dès les premiers jours. Jamais il n'avait été si heureux, satisfait, non pas du confort domestique qui soudain les avait enveloppés, mais du sentiment qu'ils étaient sur le seuil, lui et les siens, de ce que donne la vie de meilleur, et le plus généreusement : la jouissance du monde.

La neige tomba en abondance en janvier. Monet partait tôt le matin, quand levait la lueur de l'aube du côté de la Plaine Saint-Denis. Il portait son chevalet et sa boîte de couleurs à l'épaule, pareil aux ouvriers qui s'en allaient vers les ateliers et les usines avec leur caisse à outils et leur pot de camp. Il partait lui aussi avec le casse-croûte pour pouvoir travailler sur le motif choisi tant que durait le jour. Il peignait la neige, ses étendues pâles, les ombres paradoxales qu'elle ajoutait aux choses. Il se dépêchait avant qu'elle ne fonde, que le jour et les mouvements de la vie ne l'aient entièrement ternie, salie, délayée en boue. Il guettait les traces de la corruption que le dégel y ferait bientôt paraître, les altérations du bleu, les reflets jaunes. On voyait mieux les oiseaux. Le brasillement des lanternes de la locomotive de Paris donnait le signal du retour. Descendu avec la nuit, le froid avait arrêté le temps. La plaine bleuie éclairait le ciel, cuivrait le ventre des nuages. Il n'entendait que ses pas dans la neige, le crissement de la glace écrasée par ses souliers, un chien qui aboyait, une galopade d'écoliers en sabots, la buée de leurs souffles, et, coulée entre les rideaux, répandue sur les jardinets étouffés, la lumière venue des fenêtres des villas. Il restait un moment devant la sienne à regarder l'intérieur des pièces dans lesquelles il allait rejoindre les silhouettes familières qui glissaient d'une pièce à l'autre. Il restait là, voyageur au seuil de sa maison, et goûtait dans le froid et l'obscurité la certitude de la petite main de son fils et du baiser de sa femme.

Quand il faisait trop froid, ou que les averses de neige l'empêchaient de sortir, il travaillait dans la remise attenante à la maison où il avait installé son atelier. Cette petite construction vitrée avait été aménagée par l'occupant précédent, un peintre qui avait occulté les carreaux donnant au sud avec des rouleaux d'épais papier noir afin de se prémunir des couleurs et des formes d'une lumière trop violente. Monet, le lendemain de leur installation, avait arraché les bandes occultantes de l'appentis. Il en avait fait un tas au fond du jardin, avec les pattes d'un tabouret cassé et de vieux journaux déposés là, et y avait mis le feu. En dégageant les vitres, il avait vu apparaître, derrière les toiles d'araignées, au bout du boulevard de Diane qui longeait la clôture de bois de la voie ferrée, à cinquante pas, le renflement de la Seine entre ses deux ponts, ce lac d'eau grise qu'on appelait le bassin d'Argenteuil. Camille, à l'heure du déjeuner, l'avait trouvé là, couvert de poussière, devant un tableau ébauché, le visage tendu, l'œil dur, une pointe de rose au bout du pinceau levé, à guetter on ne savait quoi dans le jour brouillé. Il mangea froid.

Monet, cette fois, était chez lui, au cœur de son sujet. Il en était une des parties, comme Camille et son fils, au même titre que les autres habitants d'Argenteuil, les vignerons et les maraîchers, les deux notaires, le pharmacien et les trois médecins, les ouvriers des petites usines aux neuves cheminées et les artisans, les rentiers et les vieilles courbées sous leur châle noir qui avaient vu passer les régiments de la Grande Armée. Il habitait ses tableaux et connaissait par cœur le corps de son modèle. La femme élégante qui les traversait, dont l'ombrelle prenait autant de blanc qu'un nuage, était la sienne, l'enfant nageant dans les herbes était le sien. Il respirait l'air qu'il peignait et s'y représentait lui-même et l'intérieur de lui-même, son rêve et la beauté des choses.

Le printemps décupla sa joie, en élargit la plénitude. Il avait flairé la saison neuve dès l'accès de redoux du début de février, quand les arbres, trompés par le vent du sud et l'air soudain attiédi, laissent monter la première sève. Le retour et l'accentuation de l'hiver à la fin février avaient refoulé l'avant-garde des beaux jours, l'avaient enfoui sous les couches de neige fraîche, durcies par un gel si violent qu'il paraissait définitif. Monet se réapprovisionna en tubes de blanc d'argent et de noir d'ivoire et se remit à peindre le pays du froid. À l'approche d'avril, il guetta chaque matin dans le jardin mouillé l'apparition des pousses, des bourgeons et des premières fleurs. Il s'était attaché les services d'un jardinier qui faisait le travail d'élagage et de nettoyage du terrain et le renseignait sur les arbres et les plantes qui s'y trouvaient. Le soir, à la lampe, il lisait des manuels d'horticulture, en essayant de reconnaître sur les gravures les végétaux désignés par le brave homme. La durée du jour avait augmenté, ce qui lui permettait, après une bonne séance de peinture, avant la nuit, de faire un tour au jardin pour en suivre l'évolution et distribuer dans les massifs quelques coups de sécateur.

L'argent rentrait. La peinture de Monet, comme celle de ses amis, ne passait le mur de l'indifférence que pour recevoir moqueries et anathèmes, mais quelques amateurs sans préjugés de leur entourage, dont l'œil s'acclimatait, commençaient à être séduits. Et, surtout, Durand-Ruel, bien qu'il ait encore dans sa clientèle peu d'acquéreurs pour ces jeunes peintres, continuait d'acheter à bon prix. Il misait principalement sur Monet. Grâce à lui, le jeune couple était passé de la gêne à l'aisance bourgeoise. Monet alignait les chiffres de ses ventes sur son agenda qui se remplissait de zéros à la file. Camille, encouragée par son mari, renouvelait ses toilettes, augmentait sa garde-robe et collectionnait gants, chapeaux et ombrelles. Que le pinceau et les yeux de son mari y trouvent matière au travail accroissait le plaisir de la parure.

Jean confié aux soins de la bonne, ils prenaient le train pour passer vingt-quatre heures à Paris. Camille allait faire des essayages, passer commande chez les fournisseurs du quartier de Saint-Lazare, Monet allait montrer ses dernières toiles à Durand-Ruel, voir les travaux en cours chez Manet et parler du métier et des amis dans son atelier. Il déjeunait avec lui ou avec Renoir, toujours célibataire. La bonne humeur de son vieux camarade, qui, resté maigre dans ses vêtements râpés, se fichait de lui et de sa prospérité, faisait oublier à Monet, le temps d'un pot-au-feu et d'une bouteille de chinon, l'angoisse qui le poursuivait. Maintenant, c'était lui qui demandait l'addition et sortait son porte-monnaie, et son convive qui le remerciait. Le soir, le couple élégamment vêtu allait au théâtre voir une pièce où jouait une amie de Camille, puis soupait dans un restaurant à la mode, brillant de boiseries, de glaces et de vitres gravées, avec la comédienne et son compagnon. Monet parlait peu, écoutait et regardait. Il regardait la belle tête de sa femme, ses cheveux sombres relevés sur l'arrière de la tête, et, dans son visage très pâle, aux joues rondes et douces pour les yeux mêmes, la bouche rouge que la parole remuait. Quand elle écoutait, la lèvre supérieure s'abaissait doucement sur la lèvre inférieure et semblait y reposer, rêveuse. Ils rentraient à l'hôtel en fiacre. Le matin, ils étaient réveillés par la lumière de Paris et les bruits montés de ses rues.

Avec l'aisance, leur était venu le besoin d'en partager les moments. Le dimanche, les parents de Camille, avec Geneviève, la cadette, prenaient le train d'Argenteuil pour voir Jean, leur petit-fils. La maîtresse de maison pouvait à peine contenir sa satisfaction, et une pointe de revanche, en montrant à sa mère son intérieur confortablement meublé, ses derniers achats, et en faisant servir le déjeuner par la bonne en tablier blanc. Ils allaient ensuite marcher le long de la Seine sur le chemin de halage. À l'heure du thé, les deux femmes et la jeune fille voyaient par la fenêtre celui que les Doncieux avaient tenu pour un bon à rien, fumer le cigare avec son beau-père en faisant le tour du jardin, à pas comptés, les mains dans les poches.

Le couple rajeunissait lorsqu'il recevait les amis de Paris. Renoir, bohème endurci, s'invitait sans prévenir. Sa face plaquée sur l'os, ses yeux brillants, sa barbe et ses cheveux aux mèches rebelles terrorisaient le petit Jean. Puis, la gouaille du vieux Parisien, qui se souvenait de ses jeux d'enfants avec les gamins du Louvre et des quais de la Seine, sa patience et ses poches toujours garnies de menues surprises avaient apprivoisé l'enfant. Il guettait ses visites et l'arrivée du peintre lui faisait dégringoler l'escalier et crier la bonne. De tous les amis de Monet, Renoir était le préféré de Camille. Elle se souvenait – il y avait presque dix ans déjà – que Bazille et lui, comme son futur mari, restaient sur la réserve avec les filles de la brasserie qu'ils fréquentaient. C'est ce qui lui avait plu. Quand Monet lui avait demandé de poser, elle avait accepté aussitôt. Bazille, aux belles manières, était le plus délicat et le plus timide. S'il l'avait sollicitée, elle aurait consenti. Le souvenir du garçon aux jambes interminables lui revenait quand elle apercevait la silhouette élancée de Renoir pousser le portillon de la maison d'Argenteuil.

Le temps passé revenait aussi quand les Sisley montaient les voir. Ce joli cœur d'Anglais, à la barbe couleur de son tabac, avait fini par se marier, mais sa peinture ne se vendait toujours pas et il continuait de macérer dans la gêne que leurs hôtes avaient trop connue. Camille, qui s'entendait bien avec la jeune femme, les invitait souvent. Monet était content de montrer ses tableaux accrochés dans la maison, ou, pas encore secs, dans l'atelier. Après le déjeuner dans la salle à manger aux murs colorés d'estampes d'Hokusai – fierté du maître de maison –, acquises pour une bouchée de pain pendant le séjour en Hollande, il conduisait son ami sur ses sites préférés : la promenade en bord de Seine, le vieux village et les pentes d'Orgemont. Sisley avait été tellement envoûté par Argenteuil que les invitations à séjourner dans la villa ne suffirent plus. Son art lui aussi s'épanouissait dans ce coin d'Île-de-France. Il était ému par cette campagne antique et prospère, le caractère provincial de la petite ville que commençaient de modifier l'expansion de l'industrie et l'afflux d'une population nouvelle. Ici, la vie rurale et son paysage, menacés par l'étalement de la banlieue de Paris, ajoutaient à la beauté d'un équilibre séculaire la grâce douloureuse de ce qui va mourir. Il fallait peindre tout cela. Maintenant. Les Sisley louèrent au printemps un pavillon près de la gare d'Argenteuil.

Le dimanche matin, Monet aidait la bonne à tirer les allonges de la table de la salle à manger, puis à étendre dessus la nappe blanche dont il lissait les plis du plat de la main. Sans rien dire, en tirant sur sa pipe, il s'enchantait à la voir dresser le couvert, tandis que mijotait le gigot de sept heures ou la daube, une recette que leur avait fait connaître Bazille. Il rectifiait la position des verres, et, tout en flairant le parfum échappé de la cuisine, goûtait le vin mis à chambrer dès le réveil. Devant la fenêtre, il le versait lentement dans une carafe et regardait jouer la lumière dans la torsade de rubis glissant de la bouteille au cristal. Ensuite, les mains dans les poches, il inspectait la tablée où prendraient place tout à l'heure, autour de Camille et lui-même, les Sisley et Renoir.

Camille était du goût de Renoir. Un peu maigre, mais elle avait des joues. Son visage, entre les bandeaux noirs des cheveux, était la neige sous la nuit. Il aimait sa voix douce, son calme et sa gentillesse. Elle était indolente et fragile, mais il se souvenait de son courage et de sa force de caractère au temps de la misère, quand il lui avait fallu accoucher seule, à vingt ans à peine, et s'occuper du nourrisson, fâchée avec ses parents, son amant absent. Il se souvenait de sa patience apaisante quand Monet, désespéré par les rebuffades, les humiliations et la pauvreté, criait sa colère entre les murs d'une chambre d'hôtel, et lacérait ses toiles ou les crevait d'un coup de pied. Elle était parvenue à en soustraire quelques-unes à ses rages destructrices. Et maintenant, comme elle l'amusait, avec son sérieux dans les choses domestiques, son autorité avec la bonne et les fournisseurs, la fermeté avec laquelle elle opposait son sens des réalités aux foucades et extravagances dépensières de son mari. L'amour silencieux et obstiné qui l'unissait à son camarade réjouissait Renoir comme une chose belle à voir.

Elle avait avoué à Auguste – elle l'appelait par son prénom, souvent associé autrefois à celui de Frédéric – qu'elle préférait se voir dans les portraits qu'il faisait d'elle, plutôt que dans les tableaux de son mari. Elle l'avait dit devant Monet, un jour, à la table du déjeuner, alors que la bouteille était vide et que le maître de maison en débouchait une autre. Ils avaient ri de bon cœur, et pourtant c'était vrai. Elle pensait qu'à de rares exceptions près elle n'était pas le sujet des tableaux de son mari, mais une silhouette dans le paysage. Alors qu'elle ne paraissait jamais si présente que dans ce qu'ils appelaient « un Renoir ». En fixant ses traits, le peintre parisien lui rappelait que le premier tableau de Monet qui la figurait s'appelait *Camille*, et que si les visiteurs du Salon l'avaient aussitôt renommé *La Dame à la robe verte*, son auteur le désignait toujours par ce joli prénom qui lui ressemblait et fondait sur la langue. Les gens manquent d'attention, continuait-il, et sont passés à côté du sujet. S'ils avaient bien regardé… Elle écoutait Renoir et elle revoyait, au-dessus de la coulée d'émeraude de la soie, rayonnant dans l'écrin d'une nuit qui avait le doré des yeux baissés de son modèle, un visage si séduisant qu'elle hésitait encore à se reconnaître.

Renoir l'assurait que les grands Italiens n'avaient pas fait mieux. Il disait que Monet ne peignait que ce qu'il aimait, qu'il aimait profondément, qu'il n'avait rien appris dans l'atelier du père Gleyre, rien appris nulle part. Son seul maître, c'était l'amour, l'amour de ce qu'il avait sous les yeux et qui était beau. « Et comme il a beaucoup d'amour, il est un grand peintre, un très grand peintre. » En quelques coups de brosse, Renoir saisissait le rosissement de Camille. C'était vrai qu'elle avait quelque chose de spécial. De l'âme de cette femme était passée dans la peinture de Claude Monet, son mari.

À l'arrivée du printemps, après le rude hiver de leur installation à Argenteuil, Monet passa de plus en plus de temps dans le jardin. Dès le réveil, il était attiré vers les fenêtres qui donnaient sur le temps et le ciel. Premier levé, seul debout dans la maison endormie, en trempant le pain beurré dans le bol de café au lait, il regardait les formes des arbres se dégager des dernières ombres de la nuit, la buée de l'aurore monter et le jour pénétrer sous leurs branches. Chaussé de légers sabots de rentier, vêtu d'une veste usée, aux poches déformées par un sécateur, une serpette et des bouts de ficelle, coiffé d'un chapeau informe, il allait fureter dans les massifs, arracher du chiendent poussé sur les butées des plants, en retirer une poignée de cailloux qu'il jetait dans l'allée, couper des rameaux desséchés par le gel. Il comptait chaque fois n'y passer qu'un moment, pour se dégourdir de la nuit de sommeil et deviner la pluie en interrogeant les nuages, et chaque fois y demeurait plus qu'il n'en avait eu l'intention. Le jardin était le plus fort. La terre aimantait ses doigts. Les mauvaises herbes et les cailloux étaient une obsession. Chaque fois qu'il en retirait, il était convaincu d'avoir accru l'aisance des racines nourricières, celles des fleurs à venir, de les avoir aidées à mieux respirer et boire. En dispersant un tapis de feuilles mortes, il faisait apparaître les pousses surgies du sol humide. Pâles, rosâtres ou violacées, elles avaient percé la surface et pointaient vers la lumière. Elles avaient le vernis du neuf, la vigueur d'une renaissance et la fragilité de l'enfance. Surpris, émerveillé, Monet regrettait la brusquerie aveugle du geste qui aurait pu les blesser. Il écrasait entre ses doigts les grumeaux de glaise, les émiettait tout autour, enlevait les petites pierres et, après en avoir effleuré le bout de la paume, en protégeait les promesses en ramenant dessus, doucement, les feuilles éparses.

Au jardin, comme devant la toile à peindre, il perdait la sensation de l'écoulement du temps et la notion de la durée. Le service de la vie végétale, la sélection et l'entretien de ses infinies propositions, et la jouissance de son regard sur le résultat de son travail, ou de ce qu'il en imaginait, l'absorbaient tout entier. En sculptant dans le paysage sous ses fenêtres, il lui semblait prendre une part minuscule, mais la sienne, à la splendeur du monde. Il repoussait le désordre et la ruine, accélérait la transformation de ce qui était mort en substance vitale, et rassemblait sur les quelques ares à lui confiés les merveilles auxquelles il était voué.

La première année, il avait découvert, jour après jour, les plantes de son jardin, celles cultivées par son prédécesseur et les innombrables jardiniers et paysans qui avaient travaillé ce fertile bord de Seine avant lui, et aussi celles, imprévisibles et plus délicieuses encore, dont les graines avaient été répandues par le vent et les oiseaux. Tout avait commencé avec le premier bouquet d'hellébores cueilli sous la margelle de l'appentis, peu de temps après leur emménagement, la veille de Noël, et donné à Camille au matin du 25 décembre. Il y avait eu les perce-neige, puis les primevères de mars, les narcisses, les jonquilles et les tulipes d'avril, la merveilleuse exubérance de mai avec les rosiers, le lilas, les iris, la glycine, les hémérocalles, puis juin sous les lourdes têtes penchées des pivoines, les hampes des lis dont le parfum, par la fenêtre ouverte, embaumait le salon, l'enivrait autant qu'un verre de bourgogne, les digitales qui faisaient pleuvoir des gouttes bleues dans la demi-ombre, les voluptueux lupins.

En juillet et août, le jardin cuisait au soleil et paressait dans la chaleur. Les fleurs étaient moins nombreuses mais hautes comme des hommes. Les glaïeuls suivaient les roses trémières. Les dahlias annonçaient la fin de l'été. Quand fraîchissaient les soirs et les aubes, les phlox, les rudbeckia, les asters et les anémones du Japon recevaient dans les berceaux de leurs couleurs les premières feuilles tombées, jusqu'au seuil de novembre. Et, de nouveau, revenaient les roses de Noël.

Les interventions du jardinier dans son domaine n'avaient rien retiré des plaisirs qu'y prenait Monet. Elles les avaient accrus, au contraire, de ceux de la conversation avec le vieil Argenteuillais. À part ses amis peintres, Camille et la cuisinière, c'était la seule personne avec laquelle il lui arrivait d'échanger plus de trois mots. Monet, dont le ventre, avec la prospérité, s'était arrondi sous le gilet, s'était laissé pousser la barbe. Il avait pris l'aspect de l'ours, et avait ainsi conformé son apparence à la réputation dont il jouissait auprès du voisinage. Son employé, très droit, la peau tannée par le plein air, était sec et vigoureux. Camille se distrayait à observer de sa fenêtre les deux taiseux converser, Monet les mains dans les poches, le jardinier appuyé sur le manche de la bêche. On aurait dit le père et le fils. Aux gestes assurés du plus âgé, à l'attention que lui portait l'autre, on voyait qui était le maître et qui l'élève.

Cette soumission inédite et complète de son mari à la parole d'autrui amusait beaucoup sa femme. Le soir, elle demandait à Monet ce que pouvait bien lui dire le jardinier pendant leurs conciliabules. « Le nom des arbres, des herbes et des fleurs. »

La passion jardinière de Monet amusait aussi ses amis. Ils n'avaient pas pensé que l'expression « travailler le paysage », familière aux artistes depuis que la peinture s'enseignait et se vendait, pouvait être prise à la lettre. Monet entrait dedans avec ses sabots. Ils venaient voir cela, et dévorer les repas substantiels et raffinés préparés par l'excellente cuisinière. Un jour de l'été 1874, après le déjeuner pris au jardin, Manet demanda à son ami de lui prêter une toile, des tubes et un pinceau. Camille, assise sous un arbre, avait étalé le bas de sa robe blanche, et Jean, repu de gâteau de Savoie et de crème anglaise, bras et jambes étendus, paressait contre elle. Elle avait voulu écarter le tissu brodé qu'en gigotant son fils écrasait sur l'herbe, mais Manet lui avait demandé de le laisser faire. La petite silhouette se découpait entièrement sur la tache crémeuse répandue sur le gazon. Monet, qui ne supportait pas de poser sans rien faire et ne tenait pas en place dans son jardin, sauf à s'y affairer, avait bien voulu accepter de soigner ses fleurs dans la plate-bande la plus proche de Camille. Manet venait de commencer à travailler lorsque Renoir sonna à la grille. La forme de son tableau se décomposa sous ses yeux. Jean avait bondi vers son ami, Monet l'avait suivi, ne restait que Camille qui remettait de l'ordre dans sa robe. Au bout d'un moment, l'enfant accepta de reprendre place, tandis que les deux camarades avaient disparu dans l'atelier. Manet reprit son travail. L'ébauche qu'il avait faite de son hôte, courbé vers ses fleurs, les reins cassés, le derrière en l'air – tant pis pour lui –, suffirait. Le peintre parisien trouvait une compensation à l'impromptu qui l'avait dérangé, dans l'apparition sur le bord de la scène de la poule et du coq élevés dans le jardin pour les œufs, l'amusement et l'éducation de Jean.

Les taches blanches et fauves et rougeâtres que les deux animaux incrustaient sur le gazon étaient les bienvenues dans le regard de Manet. Elles étaient les bienvenues aussi pour Renoir. Il s'était mis à peindre la même scène, en léger retrait de Manet que cela irritait (il le fut plus encore lorsqu'il constata que Renoir avait dédaigné de le représenter sur sa toile). Monet, debout derrière les deux peintres, le chapeau rejeté sur la nuque et les mains dans les poches, regardait avec une attention aiguë comment l'un achevait ce que l'autre commençait. La poule gloussait de convoitise en cherchant les vers que le martèlement de son bec attirait en surface. Le coq, qui prélevait sa part sur les effets de l'activité de sa femelle, la suivait cérémonieusement. Cessant un moment de gratter, il se redressa, s'étira vers le haut et, le cou tendu, les plumes frémissantes, se mit à chanter. Sur tout le jardin et sur le voisinage, comme arraché du gosier, le trait de lumière de son cri se répandit. Il illuminait déjà les toiles des deux peintres.

Sous le charme de la petite ville et de son bord de Seine, Manet venait souvent. La maison des Monet était à deux pas du grand bassin où mouillaient les bateaux à voile, ces coques de bois aux vives couleurs que les amateurs de régate, le dimanche, accourus en train depuis Paris, faisaient manœuvrer sur la Seine en rêvant du golfe du Morbihan et de la mer d'Iroise. Les peintres modernes, comme lui, montaient chercher là l'illusion du lointain et du départ. Pourtant, il était ébloui de ce qu'avait fait Monet de ces motifs bien connus. Il admirait la manière de peindre de son quasi-homonyme, sa sensibilité et son originalité, cette façon de se jeter à corps perdu dans le travail, comme un sauvage. La rugosité de Monet disparaissait devant son aîné. Il était le seul peintre vivant en France, Courbet exilé, qu'il considérait comme un maître, un éclaireur. Ils se reconnaissaient.

La séduction de Camille avait opéré sur Manet, lui aussi. Elle n'était pas comme les femmes qu'il aimait représenter, vigoureuses et sensuelles, souveraines ou déchues, mais une présence bienfaisante et persuasive. Installé dans le salon des Monet, il se sentait étrangement paisible, délivré d'il ne savait quoi. Au début, il en créditait l'éloignement de Paris, le bon air de la campagne, ses menus bruits, celui d'une charrette qui passe, ceux du poulailler, la lumière réfléchie par la Seine et son ciel. Il s'aperçut un jour qu'il ne faisait que raisonner. Tandis qu'il causait avec son camarade en faisant tourner dans sa tasse un fond de café filé de sucre, son regard se posa sur Camille lisant, assise sur la méridienne, jambes détendues. La sérénité du moment et du lieu rayonnait de la discrète jeune femme. Ce n'était pas l'âge qui avait mis du plomb dans la cervelle de ce jeune agité, impérieux et bouillant, peintre né, mais insupportable, qu'avait connu Manet avant la guerre, c'était ce visage attentif, ces yeux sous les cils baissés, cette bouche close et si pleine de la vie heureuse du corps, qu'il semblait que les mots du livre l'animaient sans en mouvoir les lèvres.

Dès le premier printemps à Argenteuil, Monet avait acheté une barque qu'il avait fait aménager pour pouvoir y peindre et renouveler indéfiniment les points de vue sur le fleuve, allant où l'envie le conduisait, d'un côté ou de l'autre des piles des deux ponts. Grâce à cet atelier flottant, il pouvait débarquer dans les îles ou glisser avec le courant jusqu'à ce que l'équilibre entre les contours de la rive, la colline de Sannois, la forêt de Montmorency, le clocher d'Argenteuil, la façade d'une maison avancée vers l'eau, quelques cheminées de fabriques et la fantaisie du ciel retiennent son regard. Alors il cherchait au plus près l'endroit propice où jeter l'ancre, et, sous l'espèce de cabane en planches munies de rideaux qu'il pouvait ouvrir, entrouvrir ou fermer, selon qu'il y avait du soleil ou qu'il pleuvait, le peintre dressait sa toile et travaillait. Il entendait le peuple des eaux vives, les mouettes criardes remontées de l'estuaire, le miracle bleuté du martin-pêcheur, les cris des oiseaux de la terre poussés vers le miroir par un coup de vent, qui, comme ébahis de leur audace, se posaient sur le liston du bateau, le vol troublé de la libellule, le saut d'un gardon poursuivi par un brochet, et, au bout d'un moment, ce bruit qui ne se révélait que lorsque le corps et l'esprit avaient fait amitié avec le lieu : le fin bruissement de l'onde contre les flancs de l'embarcation, le glissement de l'énorme masse d'eau entre les berges, le chant du fleuve.

Monet, à force de rames, revenait à l'embarcadère qu'il appelait son port d'attache. Il appuyait vigoureusement sur le flot pour dépenser ce qu'il avait de force, dénouer sa nuque, ses épaules et ses bras. Il tournait le dos au tableau qu'il venait de peindre, et retournait à lui-même. Il sentait son sang circuler dans ses membres, battre à ses tempes, et le soleil bas sur l'horizon de l'ouest cuire sa peau. D'autres motifs apparaissaient, bougeaient, se défaisaient sous ses yeux à mesure qu'il remontait le courant. Sa mémoire en prenait note en passant.

Camille l'accompagnait parfois. Il ne supportait la présence de personne d'autre dans son atelier flottant. Monet ne le lui demandait jamais, mais il aimait qu'elle ait envie d'y venir. Elle emportait des travaux de couture, un linge à broder, un livre, de quoi écrire à une amie, son ombrelle et restait assise sur le banc de nage, tranquille, sans rien dire. En travaillant, il lui montrait et commentait, sûr d'être compris à demi-mot, un détail qui le touchait, une variation de lumière qui tout à coup donnait du lyrisme au paysage. Elle seule pouvait à son tour, sans qu'il en éprouve de gêne, lui dire ce qu'elle voyait, les impressions qu'elle éprouvait. Les épreuves supportées ensemble, leurs séparations, les obstacles à leur union, la malchance, loin de les dégoûter l'un de l'autre, avaient constamment ravivé l'attraction charnelle du début. Il leur suffisait d'un regard échangé, au hasard du jour, pour le vérifier. Monet tenait sa main quand elle descendait dans la barque. Elle s'appuyait sur lui, puis équilibrait l'embarcation tandis qu'il y montait à son tour et, du pied, repoussait la berge en la quittant.

Au milieu de leur troisième année à Argenteuil, en 1874, l'argent commença de nouveau à manquer. La crise financière que connaissait l'Europe à ce moment-là avait obligé Durand-Ruel à réduire ses achats de tableaux. Monet avait trouvé d'autres clients, mais cela ne suffisait pas à compenser le retrait de son principal commanditaire. Il continuait pourtant de dépenser sans compter, ou plutôt en comptant mal. Les factures étaient payées avec un retard croissant et les fournisseurs, comme autrefois, s'impatientaient. Mme Monet restait une des femmes les plus élégantes d'Argenteuil et son mari continuait de passer commande des meilleures viandes et charcuteries, et de vins fins. Le propriétaire ayant perdu confiance, ils durent quitter leur maison.

Ce fut pour en louer à proximité une plus spacieuse, où ils pourraient mieux recevoir encore leurs amis, un jardin plus étendu, où ils pourraient faire pousser plus de fleurs. Le peintre, qui produisait avec une ardeur décuplée par la nécessité, comptait sur un retournement de situation. Sa cote avait monté, certains amateurs mettaient de fortes sommes pour faire l'acquisition de ce que l'on commençait d'appeler un « Monet ». Camille avait confiance. Son mari s'était déjà sorti de situations beaucoup plus graves.

Pour éloigner les plus pressants des huissiers, Monet avait été conduit à se séparer de tableaux qu'il souhaitait conserver près de lui, sous son regard. Il déclina pourtant toutes les offres qu'on lui fit pour un portrait de Camille réalisé pendant le deuxième hiver à Argenteuil, en 1873. Ce jour-là, il avait neigé abondamment. Monet était revenu transi d'une courte séance à l'extérieur. Il avait gâché deux toiles et était rentré tôt, au début de l'après-midi, mécontent de lui-même et du monde. Le paysage s'était refusé à lui. Il venait de se débarrasser de ses bottes et de son manteau dans le vestibule, tout en demandant du café bouillant à la bonne, lorsqu'il aperçut une tache rouge bougeant derrière la porte-fenêtre qui donnait sur le jardin. Camille, sortie faire une course, prétexte pour revêtir sa pelisse neuve et goûter la vie ralentie de la petite ville engourdie par le froid, avait regagné la maison par la grille du jardin. Sous sa capeline de conte de Perrault, elle le regardait à travers la vitre. La jeune femme eut à peine le temps de manœuvrer la poignée pour entrer qu'il était à la porte et l'arrêtait, la suppliant de rester dehors un moment. Elle avait compris. Elle connaissait bien ce regard. Tout avait commencé entre eux comme cela, il y avait huit ans, dans l'atelier de la place Pigalle, quand elle avait posé pour la première fois, vêtue d'une robe verte prêtée par Frédéric Bazille.

Depuis le seuil, il fit mouvoir Camille, en lui indiquant de la voix et par signes, différentes positions et attitudes, jusqu'à ce qu'il eût trouvé ce qu'il cherchait. Elle se tenait dans l'axe de la porte-fenêtre, mains gantées serrées sur la poitrine, comme une passante frileuse dont l'attention a été retenue par quelque chose et qui regarde furtivement dans la maison, par-dessus son épaule, pour le voir. Son visage pâle, aux pommettes rougies par le froid, serti dans la capeline écarlate parée de fourrure, se détachait sur les arbres aux branches enneigées. Il ne lui fallut que peu de temps pour brosser la scène. Camille rentra frissonnante et, s'étant dévêtue des étoffes glacées, en relevant ses cheveux, passa à la cuisine pour y faire du thé.

Monet avait emporté la toile dans le salon et, le dos à la fenêtre, en contemplait les couleurs humides, la pâte onctueuse. Ses yeux étincelaient, il était content du résultat. Camille, les mains enveloppant la tasse de thé fumant, se plaça derrière lui. Elle lui dit que c'était très beau parce qu'on voyait le reflet de la neige dans la pièce, qu'on le voyait deux fois, autour d'eux maintenant, et, pour toujours, sur ce petit rectangle. Il répondit que c'était peint comme ça, avec l'intuition et le coup de main, comme cette poignée de laiton que faisaient briller au milieu du tableau deux courtes et crémeuses virgules jaunes. Quand il avait peint la pie sur une clôture de bois, près de la ferme Saint-Siméon, dix ans auparavant, un de ces jours d'hiver où la campagne normande avait été blanchie dans la nuit par les nuages venus de l'océan, il n'avait pas su expliquer à ses amis comment il avait pu rendre à ce point le matin si vrai, si semblable à ce que Dieu avait voulu qu'il soit. C'est Bazille, le croyant, qui avait affirmé cela. Depuis, pendant toutes ces années, dès que les flocons descendaient à la fin novembre, il se précipitait dehors pour attraper à nouveau, comme aurait dit son vieux camarade – pourvu que sa foi l'ait conduit jusqu'à Lui –, ce que Dieu avait donné aux hommes pour réjouir leur cœur d'enfant. Souvent, mécontent, Monet grattait son travail le lendemain. Dans un coin du jardin, il faisait tomber de la toile en copeaux ses images de la neige. Parfois, il trouvait le résultat pas trop mal et n'avait alors aucune difficulté à le vendre. Les gens adoraient les représentations de la campagne enneigée. En cette fin d'après-midi, à Argenteuil, avec Camille le regardant derrière la vitre, il avait eu le sentiment d'avoir réussi une nouvelle fois un coup de maître, d'avoir donné une humaine éternité à ce qui dure le temps d'un jour et d'une nuit en Île-de-France, et que le jour suivant délaie en boue.

Il continuait de tenir le tableau entre ses mains, à hauteur des yeux, tandis que sa femme, le visage baigné dans la vapeur du thé, se réchauffait en le buvant à petites gorgées. Oui, cette lumière laiteuse, filtrée par les voilages de tulle relevés, venue du jardin sous la neige était là sur la toile. Il ne s'aperçut qu'ensuite qu'il avait fait prendre à Camille, exactement, la pose de *La Femme à la robe verte* et que son émouvant visage de gentille coquette avait une expression de mélancolie jusqu'à présent inconnue. Il avait cru ne pouvoir l'aimer davantage, pourtant, comme la clarté d'hiver s'était fixée sur la toile sans qu'il sache comment, son amour, en s'approfondissant, avait pris une force de tendresse nouvelle. Camille était derrière lui, la poitrine contre son dos. Elle avait raison. Il n'avait jamais peint une aussi belle scène hivernale que depuis ce tableau d'une journée de janvier près de la ferme Saint-Siméon. C'était peut-être même plus beau, plus émouvant. Il se mit à rire doucement. « Tu es mieux que la pie. »

Camille était son talisman. Cette neige de l'hiver de 1873, celle de la première maison à Argenteuil, était révolue depuis longtemps, mais c'est encore une fois avec Camille et par Camille qu'il s'en sortirait, et que l'aisance et la vie libérée du besoin d'argent reviendraient. En décembre 1875, on lui avait montré à Paris, dans la boutique d'un marchand de curiosités, parmi des japonaiseries à la mode, un kimono extraordinaire, une soierie rouge, avec de riches broderies représentant des fleurs et des oiseaux, et un samouraï à la tête énorme, féroce. Il avait loué le vêtement, Camille l'avait revêtu et avait posé ainsi pour lui. Par fantaisie érotique, il lui avait demandé de porter une perruque de théâtre, blonde et moussante. De nouveau, elle avait pris la posture de *La Femme à la robe verte* et de *La Capeline rouge*.

Cette fois, il avait eu la main lourde. Ce léger mouvement de torsion du buste, qui faisait jouer la hanche sous l'étoffe, et deviner à l'imagination le mouvement des seins, ce regard par-dessus l'épaule, si naturel à Camille, où se mêlaient, malgré elle, coquetterie et timidité, dérobade et promesse amoureuse, exerçaient une séduction délicieuse. Monet, en lui demandant de desserrer les bras de la poitrine, de brandir un éventail tricolore de pacotille et de tourner un visage aguicheur et sans équivoque vers les éventuels acheteurs du tableau, l'avait dénaturée. Il s'en était rendu compte trop tard. Peindre cela lui avait pris beaucoup de temps et ils avaient encore plus besoin d'argent. L'huissier dépêché par leur propriétaire insistait. Ils craignaient de nouveau les rencontres humiliantes, les sommations par lettres, les rappels des commerçants, les demandes des domestiques, le passage du facteur, la clochette du jardin. Pour ne pas céder à l'envie de le détruire et ne pas s'abîmer davantage le regard, il livra sans délai le produit de son labeur au marchand. Il s'en débarrassa.

Monet constata avec soulagement, mais sans plaisir, que le tableau s'était vendu rapidement. La Japonaise blonde avait même atteint un niveau d'enchère exceptionnel pour une œuvre d'un de ces peintres que, depuis peu, les journaux qualifiaient d'impressionnistes. Il assista à la mise en vente depuis un coin mal éclairé d'une salle de l'hôtel Drouot. Plus la toile montait dans les prix, plus il avait de mépris pour les enchérisseurs. Il méprisa aussi les critiques qui, encore une fois, avaient loué son habileté à rendre le faste du costume. Ils admiraient ce qui leur ressemblait, un art de tapissier, de décorateur des beaux quartiers, de maquignon du luxe. Il se méprisa lui-même, puisqu'il avait commis cela.

La forte somme et la honte qui lui était attachée furent englouties en quelques jours dans le tourbillon des dettes. Le produit de la vente n'avait permis que de calmer les créanciers les plus tenaces et le répit fut de courte durée. Monet, qui longtemps s'était refusé à peindre sur commande, avait commencé à mettre de l'eau dans son vin. L'ami Renoir gagnait sa vie, et de mieux en mieux, depuis que des clients s'étaient aperçus qu'il savait fixer avantageusement sur la toile la meilleure expression de ses modèles. Des bourgeois lui commandaient les portraits de leur femme ou de leurs enfants, et se passaient l'adresse du peintre. Ils faisaient encadrer leurs Renoir de riches moulures dorées. Trônant à la plus belle place au mur d'un de leurs salons, ils faisaient envie aux relations de la famille. Monet avait toujours regretté la faiblesse compromettante dont faisait preuve son compagnon des jeunes années, le seul homme qu'il tutoyait, en s'adonnant au portrait bourgeois. Il avait pourtant fini par infléchir son intransigeance. Il peignait toujours ce qu'il voulait et comme il voulait, mais plus exactement où il voulait.

C'est comme cela qu'il s'était lié à Ernest Hoschedé. Fils d'une famille de négociants en tissus, l'héritier collectionnait les œuvres des impressionnistes et appréciait de les fréquenter. Il était tôt venu vers Monet, le plus sauvage, le plus prestigieux d'entre eux, et payait d'un bon prix ce qu'il lui montrait. Devenu ami avec l'homme d'affaires dont le dilettantisme fastueux, non seulement le rémunérait largement, mais le séduisait, Monet allait peindre près de son hôtel particulier des vues du parc Monceau où paraissait, au détour d'une allée, seule ou accompagnée d'un de ses enfants, Alice, la femme du commanditaire. Grâce à Ernest Hoschedé, et, dans une moindre mesure, quelques autres, Monet et les siens continuaient de mener, sans regarder à la dépense, une vie confortable.

Monet dut ainsi accepter la proposition que lui avait faite son mirobolant admirateur de venir séjourner dans sa propriété de Montgeron, au sud de Paris, au bord de l'Yerres, afin d'y décorer de grands panneaux, comme cela se faisait sous l'Ancien Régime. Le domaine de Rottembourg, de style Louis XIII, agrandi et remanié au XVIIIe siècle et sous l'Empire, faisait partie de cette constellation de palais et châteaux si bien enchâssés dans les paysages de l'Île-de-France qu'ils en paraissaient des éléments aussi naturels que, sur ce coin de terre, les stratus légers dans l'azur et le ciel filé de rose. En août 1875, Monet, Camille et Jean s'installèrent dans la vaste demeure pour y passer le reste de l'été. Au début, ils étaient embarrassés de ces vacances de châtelains. La hauteur des plafonds et des fenêtres, la dimension des pièces, les tapis, le personnel de maison, les chevaux dans la cour, cette voiture élégante avec cocher en livrée, qui les avait attendus à la sortie de la gare aux murs palissés de rosiers grimpants, tout cela les avait intimidés. Pourtant, dès la première promenade dans le parc, Monet sut qu'il pourrait travailler là. Il aimait la manière dont les arbres y semblaient ralentir les nuages, leurs frondaisons retenir la lumière, et branches et feuilles diviser le jour. Il aima l'étang creusé au bas de la propriété où stagnait, entre les roseaux, l'eau de la rivière voisine. Un œil de ciel, vert et brillant. La clarté se répandait en larges coulées sur le miroir d'ombre monté du fond bourbeux. Les éléments, pluie, feuilles, soleil, tenaient là conversation. Il écoutait de tous ses yeux.

Ernest Hoschedé avait fait préparer à l'intention du peintre, dans le pavillon du parc, un atelier où il pourrait s'isoler pour travailler. Alice avait apprivoisé Camille en lui faisant visiter la bâtisse de fond en comble et en lui demandant son avis sur les aménagements qu'elle projetait, tandis que Jean avait trouvé avec le fils de la famille, Jacques, un compagnon de jeu du même âge, et avec ses sœurs adolescentes, des protectrices. L'accord s'était fait dès le premier jour ; d'autant mieux que le luxe de cette villégiature était bousculé par la bohème des propriétaires. Ils possédaient leur rang, mais ne le tenaient pas. Le château, tôt le matin, se peuplait de bruits et de voix. Les enfants galopaient dans les couloirs, dégringolaient les escaliers. Leurs vêtements étaient jetés sur les fauteuils, leurs jouets traînaient sous la table. Les domestiques avaient consigne de laisser faire. Ils étaient les rois de la maison. Le jeune couple Hoschedé aimait le luxe. Pour ces deux enfants gâtés, l'insouciance et le dédain des contingences étaient des attributs de leur condition.

Monet, le café bu sur des œufs brouillés et du lard, comme du temps où il vivait à Londres, descendait à l'atelier. Le pavillon enfoncé dans la verdure lui était, il le constatait avec un amusement effaré, un refuge contre le bruyant désordre du château. Il lui semblait regarder depuis la tranquille chaloupe le paquebot où s'agitait la foule. Il s'était mis d'accord avec le maître de maison sur les différents sujets à représenter. En réalité, c'est lui qui avait fait des propositions, toutes acceptées sans discussion. Le peintre en avait pour des semaines de travail ; l'été n'y suffirait pas, il lui faudrait commander plus de toiles et d'autres tubes de couleur. En considérant ce programme, il éprouvait la joie féroce du mangeur devant le menu qu'il vient de composer et l'angoisse d'être à la hauteur de son désir. Les mots par lesquels il avait désigné les lieux à peindre le grisaient chaleureusement. Comme un vieux cognac, le nom des choses aimées lui coulait dans les veines.

Tout ici, entre la forêt de Fontainebleau et celle de Sénart, lui paraissait bon à peindre. Dans l'air limpide du matin, ses sens, frais du sommeil, reconnaissaient ces autres matins d'il y avait quinze ans, à Chailly, non loin de là. C'était pareil. La nuit l'avait fait voyager, le temps n'existait plus. Il n'aurait pas été surpris alors d'entendre venir derrière lui les voix jeunes de Renoir, Sisley et du pauvre Bazille. Il avait vu avec peine, toutes ces années passées, Paris et les villes autour de Paris changer rapidement. Leurs marges s'empâtaient, s'enlaidissaient. Les petites maisons le long des routes, devant lesquelles avaient défilé les carrosses des rois et l'appareil de leurs chasses, étaient rasées et remplacées par de hauts immeubles à étages, équipés du gaz. Les cheminées des fabriques s'élevaient entre les jardins et les terrains vagues, montaient à l'assaut du ciel et le noircissaient. On ne voyait plus de vaches. La ville moderne jetait dehors, avec les eaux sales, l'âme de ses habitants.

Monet avait retrouvé la sienne dans le parc de Rottembourg, paysage neuf et immédiatement familier déjà intime. Lorsqu'il avait entrepris de représenter le toit d'ardoise, la façade rouge et parée de pierres claires du château vus depuis le bas du domaine, dans l'ouverture des arbres balayée de soleil, une troupe de dindons qui appréciaient le calme du peintre étaient venus baguenauder devant sa toile. Il les avait vite saisis en contre-plongée, gros flocons blancs dont l'escadre semblait soulevée par un mouvement de la pelouse. Les arbres autour d'eux avaient commencé de se tacher de roux et de brun. Les nuées alourdies aussi. À l'automne, Camille et Jean étaient repartis à Argenteuil. La classe avait repris et, comme dans toutes les écoles du pays, les cours se remplissaient de feuilles mortes. Le concierge les rassemblait en tas que le vent ou les galoches des gamins disperseraient.

La décoration du château était loin d'être terminée. Chaque panneau posé en appelait de nouveaux. Les couleurs appelaient d'autres couleurs, les paysages, d'autres paysages. Ernest Hoschedé, enthousiaste et impulsif, augmenta le programme en proposant au peintre d'autres lambris, d'autres portes à imager. Monet ne se fit pas prier. Novembre, humide et agité, avait renouvelé le spectacle du parc. Jean et Camille n'étaient plus là, mais ils pourraient venir passer certaines fins de semaines à Montgeron. Et puis, ils avaient besoin des avances sur commande de son extravagant mécène, qu'il enverrait par mandat à sa femme. Il accepta.

À la fin du mois, il fallut quitter le bord de l'étang. Les arbres étaient dépouillés, on voyait le ciel dedans. Les dernières feuilles, pathétiques, semblaient adresser des signaux de détresse aux nuages : « Attendez-nous ! » Le jour froid frappait la surface de l'eau et n'en faisait plus monter qu'un éclat mat, morne et décourageant. Il dînait le soir avec Alice Hoschedé et ses enfants à la grande table du château, puis, avant de se coucher, fumait silencieusement la pipe devant la cheminée du salon en regardant jouer la lumière des bougies et les flammes dans le fond d'un verre de cognac. Une des jeunes filles jouait maladroitement un peu de Chopin ou de Beethoven sur le piano. Appelé en Belgique par ses affaires, qui battaient de l'aile, Ernest Hoschedé s'était absenté. Il avait encore retenu le peintre à Montgeron pendant tout ce mois d'automne qui sentait l'hiver, mois de la première neige, pour qu'il représentât une scène de chasse sur le dernier panneau du salon. Quand il eut terminé, au début du mois de décembre 1876, Monet, raccompagné par la voiture de Mme Hoschedé à la gare de Montgeron, y prit le train jusqu'au terminus d'Orsay. Il traversa Paris, puis, avant de prendre celui d'Argenteuil, s'assit à la terrasse d'un café et commanda une bière. En regardant la façade de la gare Saint-Lazare et les marquises des halles couvertes, aux vitrages brouillés de suie, il la but à petites gorgées.

Exigeant de lui-même davantage chaque jour, certain de sa valeur, Monet pariait sur les succès à venir et, rêvant l'avenir, continuait de dépenser plus qu'il ne gagnait. Après la mort de son père, le petit héritage de Camille avait filé vers leurs créanciers comme les remous de la Seine, qu'elle voyait en se penchant à sa fenêtre, vers la Manche. Monet refusait de réduire leur train de vie, rogner sur l'aisance si chèrement acquise. Il voulait être servi et que sa femme le soit aussi, pour que son temps soit tout à la peinture et au jardin, et que Camille, aux mains blanches et lisses, au visage frais et tendre, à la voix douce et intelligente, soit toute à lui et à elle-même.

Monet restait dans un état quasi permanent d'insatisfaction. Il ne se détendait que certains matins, lorsqu'il avait passé au jugement du jour neuf le travail de la veille. S'il estimait sa toile réussie, il la montrait à Camille et la commentait comme si elle avait été peinte par un autre. Il tenait sa femme contre lui, de l'index désignait tel détail, telle touche ou épaisseur de couleur particulièrement juste, et s'épanouissait en sentant contre lui son corps et la pression légère de sa petite main sur sa taille. « Tu as encore grossi ! » Elle riait, moqueuse, et lui pinçait le solide bourrelet de chair au-dessus de la hanche, sur la ceinture. Il faisait semblant de se vexer, l'écartait sans la lâcher, l'attirait de nouveau et reprenait son commentaire, la jubilation du vainqueur à laquelle se joignait l'amour de sa femme. Le manque d'argent ne pouvait rien contre cela.

À l'été 1877, la situation n'était plus tenable. Ils durent se résoudre à quitter le pavillon d'Argenteuil. La décision de s'en aller avait modifié d'un coup le rapport de ses sens aux choses qui l'entouraient. Sous ses yeux, les réalités s'étaient teintées d'une nuance de tendresse, avaient pris « de leur vivant » une forme idéale, comme éternelle, fixée dans le passé. Il délaissa l'atelier parisien et reprit ses itinéraires habituels vers les sites préférés. Il peignait ces sensations nouvelles sur des motifs anciens. Il montrait maintenant ce qui changeait, que dans les premières années il avait refusé de voir : les cheminées d'usines métallurgiques et chimiques, plus nombreuses chaque année autour d'Argenteuil et dans la plaine de Saint-Denis, dont les panaches s'épaississaient et se diluaient moins vite dans le ciel de l'Île-de-France. Monet pestait contre elles, accordait sa protestation à celle de la blanchisseuse quand elle devait rincer de nouveau le linge sur lequel le vent avait rabattu les fumées des fonderies. Monet peignait pendant ce dernier été et ce dernier automne son bonheur révolu, comme le serait bientôt le paysage. Il se rendait compte maintenant qu'il l'avait tenu dans ces lieux, et avec quelle intensité, au cours des années qu'il venait d'y passer. Il y avait appris à vivre. C'est pendant ce dernier été dans la maison d'Argenteuil que Camille se trouva de nouveau enceinte.

Le 20 janvier 1878, six ans après leur installation à la campagne, Monet et sa famille revinrent à Paris, dans un appartement de la rue d'Édimbourg, entre l'atelier du peintre et le parc Monceau. Quelques semaines après naissait Michel. Le nouveau-né était beau et bien portant, mais son père, même lorsqu'il pesait dans ses bras, ne parvenait pas à en éprouver de la joie. La santé de Camille s'était dégradée à la fin de sa grossesse. Il avait espéré, comme le médecin, qu'avec la délivrance viendrait le rétablissement. Ce n'était pas le cas. Elle continuait, sans se plaindre, de souffrir du ventre, dormait mal et n'avait plus d'appétit.

Elle refusa pourtant de confier son enfant aux soins d'une nourrice et lui donna le sein. Monet s'accusait de chaque moment de ses souffrances, elle l'apaisait de la main. Il avait peine à contenir, pour ne pas la bouleverser davantage, les reproches violents qu'il s'adressait. Elle lui disait que cela irait bientôt mieux et tournait son visage pâli vers l'enfant dans son berceau. Elle lui apparaissait plus jolie, plus adorable qu'elle n'avait jamais été, même au temps de la robe verte, même dans le jardin enneigé d'un hiver passé à Argenteuil.

Il n'avait plus de jardin à peindre, alors comme autrefois, du temps des virées avec Renoir et Bazille, il partait à pied, le chevalet sanglé dans le dos et la boîte de couleurs à l'épaule, à travers les rues de Paris, puis les faubourgs nord-ouest, jusqu'à l'île de la Grande-Jatte. Deux kilomètres de marche, deux kilomètres pour détacher son âme des rues grises et la rincer dans le paysage et l'eau de la Seine. Il avait cru retrouver de sa jeunesse en revenant s'installer à Paris, il n'en avait éprouvé que de la fatigue, l'usure de l'être et la laideur de la mauvaise saison dans la grande ville. Il se sentait vieux et il lui semblait n'avoir rien fait. Rien. Il désespérait d'arriver à quelque chose. En allant vers le site à peindre, il croisait des fonctionnaires qui attendaient l'omnibus ou marchaient vers leurs ministères, et les enviait un instant. L'horizon venait à lui au passage des fortifications et des glacis herbeux qui les environnaient. On aurait dit que le vent se levait à cet endroit. En traversant Neuilly, son regard s'attardait dans les jardins et les parcs qui cernaient les maisons derrière les murets et les grilles. Le passage de la Seine au pont de Courbevoie achevait de le décrasser. Il choisissait un endroit d'où l'on ne voyait pas la poussée de la ville moderne, dépliait son chevalet devant des rideaux d'arbres aux racines nourries par le fleuve et passait la journée dans l'île. Le soir, marchand de lui-même, il écrivait aux amateurs de sa peinture pour leur proposer de venir voir ses dernières œuvres et d'en acheter. Il leur ferait de bons prix. Il fallait bien s'acquitter du bail, continuer de rembourser les dettes et payer le médecin et les médicaments pour Camille.

Quand il fut saturé de la Grande-Jatte, il se rabattit sur le parc Monceau, en territoire connu. Le printemps, en faisant revenir les feuilles sur les branches, avait dérobé les façades des immeubles au regard du peintre. Assis sur un banc, on aurait pu se croire loin. Les bonnes, les ouvriers du bâtiment et les soldats en quartier libre venaient y flairer l'air de leur province en soulevant la poussière des allées. Les Parisiens avaient retrouvé là, au milieu de leurs rues, à deux pas du tramway qu'ils allaient prendre, l'illusion du sous-bois. L'hiver, qui faisait maigrir le monde et le décolorait, était bien fini. Monet pouvait de nouveau peindre l'épaisseur des choses, les formes que leur avaient données les couleurs, du vert, du jaune, du rouge, et quelques trouées bleues.

Le 30 juin de cette année 1878, Monet n'était allé ni au parc Monceau, ni à la Grande-Jatte. Il s'était enfoncé dans Paris, vers les quartiers anciens et encore populaires que leurs habitants avaient pavoisés avec enthousiasme à l'invitation du gouvernement de la République. Pour célébrer l'Exposition universelle au Champ-de-Mars et au Palais du Trocadéro inaugurée au début du printemps, l'honneur du pays et l'intégrité retrouvée de sa capitale, les Parisiens avaient été invités à mettre le drapeau national à leurs fenêtres. L'humiliation de la défaite, l'invasion du pays vaincu, l'ignoble guerre civile sous les yeux de l'occupant prussien, la perte de l'Alsace et d'une partie de la Lorraine avaient nourri chez les Français, sur le fumier d'une grande honte, l'amour douloureux de la France. L'armée était acclamée comme du temps de la Révolution et de l'Empire, celui du grand Empereur. Sur les cartes géographiques aux murs des écoles, le bord de la mer semblait adorer les rivages de notre terre, et les trois couleurs roulées sur un bâton dans un coin de chaque appartement ou maison étaient déployées dès que l'occasion s'en présentait. Dans les quartiers des artisans et des ouvriers, où l'expression du patriotisme n'était pas bridée par le sens des élégances, une réserve convenable, les façades ruisselaient de tricolore. On ne s'était pas contenté de mettre un beau drapeau au balcon, comme dans les avenues des arrondissements bourgeois, on avait mis aux fenêtres, sur les volets et sur les murs, partout où la main trouvait de quoi les accrocher, des pièces de chiffon cousues en trois parties et des calicots de papier, tous bleu, blanc et rouge.

Il faisait très beau. En certains endroits, on se serait cru sur les quais d'un grand port où des centaines de bateaux étroitement serrés, bord à bord, auraient mêlé dans le foisonnement de leurs mâtures les fanions, les emblèmes, les étendards et les pavillons, tout ce qui avait les trois couleurs et pouvait flotter au vent. Monet pensait bien trouver une telle image pendant ce jour de réjouissance nationale à Paris, mais ce qu'il avait sous les yeux passait son espérance. Il n'avait bu que le café au lait du matin, mais se sentait ivre. Un grand incendie avait gagné la ville d'où avaient été effacés la plupart des stigmates sinistres de la Commune. Paris surgissait, dans ses vieilles pierres, neuf et jeune d'énergie et de fierté. Rue Montorgueil, puis rue Saint-Denis, Monet appela des gens penchés à leur fenêtre pour leur demander s'il pouvait, « oh ! pas longtemps », installer son chevalet devant une de leurs fenêtres. Dans cette journée particulière, d'union et d'amitié nationales, cela paraissait naturel. Comme les fenêtres, les portes s'ouvrirent.

Il n'eut qu'à choisir la bonne hauteur et l'angle adéquat. Tandis qu'il peignait, on lui offrit à boire et on trinqua à la République et à la France. L'hôte rappelait un souvenir du siège de Paris, ses coups de fusils contre les Prussiens quand il était dans la Garde nationale et comment son lieutenant avait été tué près de lui. Monet éludait et, sans rien dire, buvait le vin, l'œil sur les drapeaux. Les deux tableaux furent vendus très vite, dans les jours qui suivirent. Monet avait réservé l'un à Ernest Hoschedé, en faillite, poursuivi par ses créanciers, mais qui trouva le moyen d'emprunter cent francs pour l'acheter, l'autre, au docteur Bellio, collectionneur fidèle et généreux, qui soutenait le peintre depuis des années. Il suivait aussi avec inquiétude l'évolution de la maladie de Camille.

Les médecins hésitaient à formuler un diagnostic précis et parlaient d'ulcérations de la matrice. Ils avaient renoncé à opérer. Le mal mystérieux, tapi dans les entrailles de la jeune femme, s'apaisait parfois pour réapparaître soudain, sans raison, plus violent. C'est pendant une période de répit, en août de cette année 1878, que Monet avait laissé sa famille à Paris pour aller travailler à la campagne, en bord de Seine, à Vétheuil, un coin qu'il avait connu avant la guerre en allant passer quelques jours à Bennecourt, entre Mantes et Vernon. Il descendait le fleuve et refluait dans son passé. À cet endroit, avant la guerre, il avait peint

Camille assise sur la berge, accotée à un arbre, son chapeau de paille au ruban bleu posé près d'elle. L'orage les avait mis en fuite. Dans le tableau presque achevé, le visage de sa compagne n'était encore qu'un contour devant un reflet dans l'eau. Quand, le soir venu, il le regarda à nouveau à la lueur d'une bougie, dans la salle d'auberge où ils étaient installés, il lui apparut qu'il n'y fallait rien ajouter. La jeune femme existait là, vivante dans ces quelques couleurs en équilibre sur le monde, aussi sûrement que celle qui, devant le feu, dans la même robe blanche à rayures bleues, les bras levés, redressait maintenant son chignon mouillé et se regardait dans la glace posée sur la cheminée. Tout de cette après-midi au bord de l'eau était conservé. Il avait appelé Camille, pour qu'elle vienne voir, et elle avait approuvé. « N'y touche plus. »

Monet travaillait vite et bien à Vétheuil et dans ses environs. Comme au pays d'Étretat, entre les escarpements, il avait repéré les trouées ouvrant sur la Seine ; comme à Argenteuil, les chemins de terre et de pelouse le long du grand chemin d'eau. Il se dépêchait de faire parvenir ses tableaux, à peine secs, à Paris où les marchands n'auraient aucune peine à trouver des acquéreurs. L'automne renouvellerait bientôt ce riche paysage. Il fallait en profiter. Ernest Hoschedé, qui autrefois avait chassé le sanglier et le chevreuil par là, dans les bois du Vexin, du côté d'Arthies, l'avait rejoint. En venant voir son ami et ce qu'il tirait de ce nouveau territoire, l'homme d'affaires failli semait les huissiers. C'était lui le gibier maintenant. Qui viendrait le chercher dans ce vallon retiré, cette modeste auberge ? Un soir, dans la salle à manger, tandis que la première flambée de la saison faisait rutiler le vin dans leurs verres, Hoschedé n'eut aucun mal à convaincre son bon convive que la maison à louer, qu'il avait vue à l'entrée du bourg, sur la route de Mantes, entre la Seine et l'à-pic du plateau du Vexin, pourrait abriter leurs deux familles, le temps qu'il faudrait pour que ses affaires reprennent et que l'œil du peintre épuise les ressources de la contrée. Le lendemain, le bail était signé et les dispositions prises pour rallier tout le monde à Vétheuil.

Les premiers temps, comme Monet l'avait espéré en lui faisant quitter Paris, Camille se trouva mieux. Avec Alice Hoschedé, elle s'affairait à aménager le logis, recruter du personnel de maison et participait aux promenades qui emmenaient le groupe le long de la Seine, ou, par les sentiers en forte pente, à travers les bois jusqu'aux cultures étalées sur les hauteurs. Elle montait au même rythme que les autres, trottinait sur le plat avec son fils, et, l'ombrelle des beaux jours déployée, nageait en plein ciel. Elle se sentait vivre. Ce début de septembre fut la dernière semaine de sa jeunesse et le seuil des quatre dernières saisons de sa vie. La souffrance revint avec les pluies et s'accentua en octobre. Les périodes de répit n'étaient désormais sensibles que par d'épisodiques atténuations des douleurs. L'illusion du retour à la santé, née du changement d'air et de décor, et d'une rémission apparente de la maladie, en s'effondrant avait anéanti tout espoir de guérison. Elle s'affolait. Un jour, elle avala un verre d'eau-de-vie pure pour que l'alcool brûlât dans son ventre ce qui la rongeait. Elle ne fit qu'ajouter le délire aux maux de ventre et dut s'aliter. La gravité de l'état de sa femme, qui ne pouvait plus donner le change maintenant, dans la situation de promiscuité créée par l'entassement des deux familles dans le même gîte, apparaissait à Monet dans toute son étendue. L'univers était bouleversé, le temps s'était rapproché, il n'y avait plus d'avenir. Il voulut retourner à Paris où pratiquaient les médecins qui sauraient peut-être la soulager, trouver le remède à ce mal inconnu. Cela resta une intention ; l'argent manquait.

Au début de l'automne, les deux couples trouvèrent une autre maison à louer, à la sortie ouest du bourg, sur la route de La Roche-Guyon. Elle était plus grande, plus confortable et l'on put réserver à Camille une chambre où reposer et supporter sa douleur. De sa fenêtre, au premier étage, elle voyait couler le fleuve, tournoyer ses grands remous autour de l'île, les barques osciller au bout de leurs cordes et le bateau du passeur, sur le même bref et inexorable trajet, relier les deux rives. À l'approche du soir, elle pouvait contempler, derrière les arbres du bord opposé, du côté du hameau de Lavancourt, les lueurs rougeoyantes du soleil couchant incendier la longue fente de ciel entre les nuages et la terre. La chambre devenait rose. C'était l'heure du thé, comme autrefois à Londres. Alice Hoschedé montait la rejoindre avec un plateau qu'elle posait sur le guéridon. Elle faisait la conversation à Camille tandis que la nuit descendait. Quand les deux femmes n'étaient plus l'une pour l'autre qu'une forme indécise aux jupes éclairées par la cheminée, Alice allumait une lampe et se retirait.

La maladie et l'hiver étaient entrés dans la maison. Séparée de la falaise par une courette à peine plus large que les deux bras étendus, elle se révéla très vite froide et humide. Même dans les pièces donnant sur la route et la Seine, ses habitants sentaient dans leur dos la masse de la roche sur laquelle croulait le lierre. La propriétaire, Mme Elliott, vieille dame veuve, habitait au-dessus, au bord du précipice, une étrange bâtisse, une sorte de manoir, haut et presque aussi étroit qu'une tour. Le soir, troué de deux ou trois fenêtres jaunes, on aurait dit un phare planté sur la côte, et le fleuve, la flaque miroitante et silencieuse laissée par la mer en se retirant.

Monet s'était jeté dans le travail. Repérer les sites propices, les peindre, retoucher ou gratter la toile, et les repeindre. La pulpe de ses doigts était incrustée de couleurs et sentait la térébenthine. Produire des tableaux occupait le plus clair de son temps. Le reste, il le passait à Paris, en démarches et rendez-vous pour essayer de les vendre vite. Il avait quitté son atelier pour un autre, moins cher, dans une rue voisine. C'est là qu'il montrait ses derniers travaux aux clients éventuels. Ses murs se garnissaient de vues de Vétheuil, se couvraient des ocres, bruns et jaunes de l'automne. Les nuances s'assombrirent en novembre, puis, rapidement, s'éclaircirent aux premières neiges. L'hiver 1878-1879, précoce, fut immédiatement glacial, pire que celui de la guerre, pendant le siège de Paris quand on voyait les gardes mobiles s'en aller prendre leurs tours aux fortifications, une peau de mouton serrée sur le corps par les courroies des cartouchières et la bretelle du fusil, un mouchoir à carreaux noué sur le képi. Le paysage s'était engourdi. Le sol restait blanc, le ciel gris, les arbres noirs. Les animaux se terraient. Même les pies et les corbeaux ne se montraient plus. En même temps que le gel, un grand silence avait saisi la campagne. Les moindres bruits, la route sous les pas des rares passants, qui se hâtaient, le visage rougi, le cache-nez givré par leur respiration, la chute d'une branche, la cognée de la hache sur une bûche, le grognement d'un cochon derrière la porte de sa cahute, sonnaient comme du métal sur du métal. La glace avait commencé par figer les bords du fleuve, puis, jour après jour, en s'épaississant, avait recouvert toute sa surface. On put bientôt passer dessus à pied sec d'une rive à l'autre sans danger. Les barques avaient été tirées sur les berges pour que leurs coques n'éclatassent pas sous la pression. Dès la sortie de l'école et tant qu'il restait une lueur de jour, les enfants en sabots venaient glisser sur le dos de la Seine. La nuit, les champs éclairaient le ciel. Les gens de Vétheuil et d'ailleurs n'avaient jamais vu cela. Et ce temps de Scandinavie durait. On finissait par ne plus croire au retour du printemps.

Un matin, se sentant mieux, Camille voulut faire une promenade dans la campagne enneigée. Elle chaussa ses meilleures bottines, revêtit la pelisse bleue et, en se regardant furtivement dans la glace du vestibule, la capeline rouge d'Argenteuil. Elle hésita sur le seuil, avant de se diriger vers le village. L'air dur et coupant l'étourdit dès qu'elle eut dépassé la maison. Elle avait froid, mais, comme un renard s'endort au gîte, la douleur au creux de son ventre lui parut s'assourdir. Elle enfonça un peu plus ses mains dans le manchon de fourrure offert par Monet quelques jours auparavant, la veille de Noël. Ernest Hoschedé était revenu de Paris ce soir-là, joyeux et couvert de givre, les cadeaux des enfants au bout d'un bras, une bouteille de champagne et une bourriche d'huîtres sous l'autre. Elle en avait mangé deux et s'était obligée à boire une demi-coupe pour ne pas gâter le plaisir de son mari, de Jean et des autres. Avec quelques épingles elle avait serré sa robe sur son corps amaigri, avec un tampon, masqué de poudre de riz son visage, et appliqué au pinceau un peu de rouge sur ses joues. Elle n'avait pu tenir jusqu'à minuit et avait dû monter se coucher, appuyée sur Alice. De la salle à manger, s'élevaient les bruits du réveillon. Les adultes parlaient sans élever la voix, mais elle entendait, à travers le plancher, celles des enfants, leurs rires, leurs chants et leurs exclamations. Elle distinguait, tout en guettant le sommeil, celle de Jean, son fils, qui n'était pas moins joyeuse que celle des autres.

À pas prudents, en marchant au milieu de la route, Camille était parvenue à l'entrée de l'interminable rue principale. Au bout de la perspective luisante de verglas, on apercevait l'enseigne de l'auberge, le début de la place et un angle de la mairie. Elle se tourna vers le grand escalier qui montait à l'église. C'était dimanche, il avait été soigneusement déblayé par des paroissiens. Elle prit de ce côté, en longeant la rampe de fer. Elle montait lentement – ne pas éveiller le renard – en assurant son pied à chaque marche, ne relevant le visage que par intermittence vers le porche latéral.

Il s'ouvrait sur la montée et le village, gros œil aux reflets de fer sous la paupière romane. En haut des marches, elle rabattit sur son front le bord de la capeline que la brise de la hauteur avait déplacée. Un chemin tranché dans la neige coupait par le travers le parvis de l'église et conduisait à son perron. Elle s'arrêta. La voix du prêtre, forte et assurée, célébrait l'eucharistie. Les mots du latin, aux puissantes consonnes, passaient les lourds vantaux de bois. Ils lui semblaient ne s'adresser qu'à elle. Elle les reconnaissait, se rappelait la cathédrale et les dimanches de son enfance, la grand-messe de Pâques et celle de Noël, celle de sa communion, un jour de mai, il y aurait bientôt vingt ans, seulement vingt ans.

Camille continua l'ascension de la colline en suivant le chemin en pente douce qui allait vers la lisière du bois, entre le mur du cimetière et la clôture d'un pré. L'âne que l'on tenait là se profilait sous l'abri de planches, près d'une botte de foin. Il hésita d'abord à en sortir pour satisfaire sa curiosité, puis finit par se diriger vers elle, qui le regardait. Il prenait son temps et posait ses sabots dans ses traces, comme elle l'avait fait tout à l'heure sur les marches du grand escalier. Il avança la tête pour qu'elle puisse la caresser. Ses oreilles de guingois, presque animées d'une volonté propre, frissonnaient sur le haut de son crâne. Ce petit théâtre de signes au-dessus des yeux bons et malins de l'animal l'amusait. « Comment t'appelles-tu ? » Elle sortit une main gantée de son manchon pour la passer sur le chanfrein et les joues fermes. Elle souriait, tandis qu'il poussait contre elle son museau en le frottant contre la clôture. Comme le plaisir lui faisait retrousser les babines, il lui sembla que l'âne souriait lui aussi. Elle regretta de ne pas avoir emporté du pain rassis, ainsi qu'elle le faisait quand elle partait en promenade avec Jean. La pensée lui vint qu'elle ne pourrait jamais le faire avec Michel. Il aurait un an le mois prochain.

L'hiver fut très long, le redoux tardif. Camille ne quittait plus guère la maison. C'est de ses fenêtres qu'elle vit le flot de la Seine redevenir libre et vif, et la campagne reverdir. Le médecin de La Roche-Guyon venait la visiter chaque fois qu'il se rendait chez Mme Elliott, très âgée et malade. Il n'avait laissé à Monet qu'un vague espoir. Sa femme avait un cancer de la matrice dont la virulence avait été fouettée par l'accouchement. La guérison était improbable, seul un miracle pouvait suspendre les progrès de la maladie. Cela se voyait parfois, mais chez des patients plus âgés, quand les forces de la maladie avaient décru plus vite que celles du corps. Camille ne se faisait plus guère d'illusions, elle souffrait constamment, mais, comme malgré elle, contre l'évidence, la moindre atténuation du mal allait tirer d'on ne savait où une lueur d'espérance. Les potions que lui prescrivait le médecin, et que son mari rapportait de ses voyages à Paris, en étaient la seule faible cause. Il arriva quelques fois que Monet reprît le train de Mantes sans les remèdes souhaités parce qu'il n'avait rien vendu et que le pharmacien avait refusé de lui faire crédit une fois de plus. La progression de la maladie l'effrayait et le rongeait lui-même. Sa femme lui paraissait le fantôme de celle qu'il avait représentée si souvent, en prolongeant les gestes de la nuit dans ceux du jour. Sur le visage et le corps de la femme qu'il aimait, ce qui était rond était devenu anguleux, ce qui était doux était devenu dur, ce qui était lisse était devenu rêche, ce qui était souple était devenu tendineux, ce qui était pâle était devenu livide. Il voyait la mort entrer dans la peau de la vivante, et s'en travestir. Quand elle s'efforçait de sourire, ayant peint ses pauvres lèvres, c'était atroce. Il se rappelait les crânes que les étudiants en médecine posaient sur la table de leurs beuveries dans les brasseries du quartier Latin, une pipe allumée coincée entre les mâchoires, un chapeau melon défoncé penché sur l'orbite.

Monet s'appliquait à lui dissimuler sa propre angoisse, cette répulsion instinctive du vif devant l'odeur de la mort, mais n'était pas sûr d'y parvenir, craignait à chaque instant de se trahir. Il avait fini, sans s'en rendre compte, par éviter Camille. Devant elle, le taciturne s'étourdissait en paroles abondantes, précipitées, absurdement joyeuses. Il se ressaisissait, sortait tout à coup de la pièce où elle se trouvait et s'en allait retoucher des toiles, qui pâtissaient de son émotion et finissaient en petit bois dans la cheminée. Il lui semblait lutter contre son impuissance à sauver sa femme et son amour en produisant des tableaux à vendre. L'argent gagné la sauverait. Ils quitteraient Vétheuil, cette maison humide et froide, ils reviendraient à Paris. Il payerait à sa femme les meilleurs spécialistes de la capitale, les plus habiles pharmaciens livreraient leurs potions à domicile. Les savants médecins prescriraient une opération jamais tentée, que le chirurgien le plus adroit de leur académie réussirait. Il retirerait la maladie du ventre de Camille, il la poserait sur la table et lui, Monet, représenterait cette bête monstrueuse avant qu'on la brûle, avec son image infecte qu'il aurait crevée et réduite en miettes. La chimère tournoyait dans ses pensées tandis qu'il représentait des vergers en fleurs, des champs frais semés de boutons-d'or, les coquelicots dans le blé mûr et la Seine redevenue bleue. De la beauté à vendre pour sauver sa femme.

Mme Elliott mourut au mois de juillet. Camille ne quittait plus sa chambre. En août, elle ne quitta plus son lit. La mort habitait la maison. Ses occupants ne trichaient plus, ils suivaient sa règle : silence, demi-jour et lenteur. Les enfants, comme éteints, obéissaient. Ernest Hoschedé, par monts et par vaux, vaquait à ses obscures affaires, s'occupait de journalisme, envoyait parfois un peu d'argent pour éloigner les créanciers. Ceux-là, le spectacle de la mort ne les rebutait pas. Monet allait plus souvent à Paris et s'y attardait, travaillait et dormait parfois dans son atelier. Alice Hoschedé s'occupait de Camille, préparait ses poudres, les remuait dans un verre d'eau. La cuillère tintait dans le verre comme une petite cloche dans la nuit. Elle lui portait le potage, quelques aliments coupés menus, changeait ses draps, l'aidait à se laver, à soulager les misères du corps. À la mi-août, le cancer s'était tant développé dans le ventre de la malade, gonflé et bleu de douleur, qu'elle ne pouvait plus garder aucune nourriture, puis plus rien avaler. Alice passait au chevet de la mourante le jour et une partie de la nuit. Elle lui baignait le front, passait ses mains fraîches sur le triste visage. Les yeux étaient restés beaux, brillants. Toute la vie semblait s'y être réfugiée et guetter l'ennemi au fond des orbites. De sa bouche, une curieuse voix brisée, rauque, sortait du fond d'elle-même et l'épuisait. On aurait dit que la maladie, ivre de sa puissance, sûre de sa victoire, comme prise de pitié pour sa proie, parlait à la place de celle qui n'avait plus de force pour s'adresser aux vivants. Alice, maintenant, priait devant elle sans retenue pour conjurer, non la maladie – il n'y avait plus rien à faire –, mais le cortège terrible de l'agonie : l'entrée solitaire dans la mort. Les lèvres blanches de Camille remuaient aussi, et ce n'était plus le monstre qui parlait. Alice demanda alors à Suzanne, sa fille aînée, d'aller chercher le curé de Vétheuil qu'elle avait prévenu le dimanche d'avant, après la messe.

Le 31 août, l'homme en soutane descendit du presbytère et se rendit vers la maison en contrebas. Sur le seuil l'attendait Alice Hoschedé. Elle le conduisit dans la chambre où le soleil de l'après-midi s'insinuait parcimonieusement entre les lames des jalousies. Les paysages peints par celui dont la femme était en train de mourir semblaient enfoncer dans les murs de mystérieux fragments du monde. Le prêtre reconnut la vue sur Lavancourt, qui lui était familière depuis sa fenêtre, et, comme une connivence, le clocher de son église. Du lit où elle était couchée, la respiration de Camille montait avec force. Il voyait sous la couverture la forme du corps qu'elle ne pouvait presque plus mouvoir, où elle semblait désormais enfermée. Elle éleva une main presque aussi blanche que sa chemise. Le prêtre attira une chaise près du chevet et se pencha vers le visage cireux où ne restaient de jeunesse que les yeux et le contour des cheveux, ceux des tableaux d'autrefois. Elle voulut parler, effort que lui épargna le prêtre d'un geste apaisant. Il posa sa main sur la sienne et chuchota à voix basse, tout près d'elle. Elle cligna des paupières en signe d'acquiescement, avec aux lèvres ce qui aurait pu ressembler à un sourire. Alors il se redressa et, à haute voix, prononça les paroles du sacrement suprême, la rémission de tous les péchés, et d'un grand signe de croix au-dessus du lit, recouvrit le corps de la mourante.

Ce qui restait de vie à Camille mit longtemps à la quitter. Elle n'était plus qu'une souffrance, et ni les poudres, ni les tintements de la petite cuillère qui les faisait tournoyer dans l'eau, comme la neige d'Argenteuil derrière la vitre, n'atténuaient les élancements qui lui déchiraient les entrailles. Camille avait vécu trente-deux ans et maintenant aspirait à la mort. Elle prenait son temps. Tout à la fin, Alice conduisit près d'elle ses enfants, Jean apeuré, et le petit Michel, qui marchait maintenant et en était tout joyeux. Monet était revenu de Paris. Il lui avait caressé la main en disant son nom, l'avait embrassée sur le front, puis s'était reculé dans l'ombre de la chambre et se tenait là désormais, silencieux. C'est Alice qui présenta les enfants à leur mère. L'aîné se mit à pleurer, parce qu'il venait de comprendre, le cadet aussi, parce qu'il avait peur à son tour et faisait comme son frère. En voyant ses enfants, Camille rassembla ses dernières forces, pour les toucher et leur dire qu'elle les aimait. Elle entra en agonie et mourut peu après, le 5 septembre, au milieu de la matinée.

Monet sortit de sa torpeur angoissée. La douleur avait quitté la femme pour saisir le mari. Son désespoir prit des formes effrayantes, celle d'une colère sans objet, sauf contre lui-même. Il semblait se déchirer, comme il faisait de ses toiles qu'il estimait ratées. Alice avait renoncé aux phrases de consolation, qui ne faisaient qu'accroître sa rage. Elle s'efforçait de tenir à distance les enfants, affolés, et ne le retint pas lorsque, très agité et ne pouvant tenir en place, il prit la porte. Elle envoya seulement Suzanne courir après lui avec son chapeau et son bâton de marche. Il revint deux heures après, le visage fermé, la parole brève et coupante. Il avait jeté son bâton et son chapeau dans le fleuve. Alice Hoschedé posa sa main sur son bras. Cette fois, elle le vit pleurer et toute sa force, et avec elle sa fureur, semblèrent tomber. Il serra contre lui ses enfants, prit le dernier sur ses genoux pour le faire manger. Il lui donnait la becquée avec des mots gentils, ceux de Camille autrefois, et parvint même à le faire rire.

Le lendemain, il accomplit avec l'aide d'Alice les tâches rituelles. Sa résignation douloureuse était plus impressionnante que, la veille, l'expression de son désespoir. Elle s'occupa de la cérémonie des obsèques, il alla en mairie faire la déclaration du décès et prendre les dispositions préalables à l'inhumation. Il écrivit à tous les gens qui connaissaient bien Camille pour les prévenir de sa mort. Au docteur Bellio, qui avait ausculté la jeune femme et s'était toujours efforcé d'aider le peintre dans les moments difficiles en lui achetant une toile, il demanda d'aller dégager au mont-de-piété et de lui faire parvenir un médaillon auquel elle tenait, pour pouvoir le mettre à son cou avant la mise en bière.

Le corps avait été allongé sur un lit tiré dans une pièce du rez-de-chaussée, pour que les amis qui le souhaitaient puissent se recueillir devant la derrière apparence de Camille. La première nuit, Monet n'avait pu demeurer longtemps dans la pièce mortuaire. Alice, qui veillait, l'entendait marcher au-dessus, dans la chambre de l'agonie, leur chambre à coucher. Elle crut percevoir des sanglots, puis plus rien. Monet avait dû s'endormir, épuisé. Le lendemain soir, le dernier avant les obsèques, il pria Alice de prendre du repos et de le laisser seul avec la morte. Assis dans un fauteuil, il resta devant elle, à regarder son visage sous le tulle dont on l'avait recouvert. La tête avait été entourée d'un mouchoir blanc pour maintenir la mâchoire inférieure. On n'était pas parvenu à joindre les lèvres, restées entrouvertes. La lumière des deux flambeaux disposés au pied du lit faisait luire le bout de ses incisives. Quand le sommeil qui avait fini par assommer Monet se dissipa, la maison était toujours silencieuse et sans mouvement.

La lumière grise de l'aurore s'insinuait dans la pièce et pâlissait celle des flambeaux.

Il fit entrer plus largement dans la pièce le début du jour en ouvrant à demi les volets, puis il alla chercher une toile, un pinceau, sa palette et quelques tubes de couleur. Il installa une chaise au bout du gisant, s'assit, appuya le haut de la toile posée sur ses genoux contre les barreaux du pied du lit, et commença de représenter les traits de la morte tels qu'il les voyait. Avec du bleu et du blanc, il fit monter à la surface du monde, une dernière fois, le visage de Camille. Les joues avaient fondu, le nez était pincé, la peau tirée sur l'os avait déjà pris, par places, une teinte jaune tirant sur le gris. Monet alla chercher d'autres tubes pour restituer aussi cela, les progrès de la corruption sous la peau si souvent embrassée, dans la chair si bien étreinte. Pour terminer, il sabra de traits verts le milieu de la toile, et les moucheta de pointes de rouge. C'étaient les fleurs de septembre qu'il avait disposées sur les mains de la morte. Le soleil levé au-dessus de Lavancourt éclairait maintenant la route et le fleuve sous la fenêtre. Monet regardait l'image qu'il venait de fixer. Cette tête légèrement inclinée, serrée dans le linge, comme autrefois le visage adorable dans la capeline rouge, le bandeau de cheveux, les yeux absents sous les paupières fermées et cette bouche entrouverte sur le dernier souffle, ce masque de l'étonnement et ce drôle de sourire vers l'invisible, étaient le fantôme de Camille. Il avait peint sa dernière empreinte sur la terre. Quand il entendit du bruit au-dessus de sa tête, Monet mit ses tubes dans ses poches, le pinceau entre ses dents, la toile humide au bout de ses bras, et alla remiser le tout derrière la maison, dans l'abri creusé au pied de la falaise.

La messe des morts eut lieu le 7 septembre 1879 en début d'après-midi. Monet, en tenue bourgeoise, le haut-de-forme à la main, avait conduit le cortège tout au long du chemin escarpé montant à l'église. Après la cérémonie, les intimes n'eurent qu'une centaine de mètres à faire pour atteindre le cimetière. De l'autre côté du chemin, dans le pré, l'âne était venu voir, et une colonie d'oies aussi, et les poules qui picoraient l'herbe rase. La fosse avait été creusée au bout de l'allée, juste avant le petit mur d'enceinte. Au-delà, la colline dévalait en pente raide vers la vallée de la Seine. Le groupe formé autour de Monet et de Jean, son fils qu'il tenait par la main, composé de la famille Hoschedé et d'un petit nombre d'amis prévenus à temps, se répartit entre les tombes voisines. Le prêtre prononça en latin le mystère des dernières paroles, où l'on entendit, comme un trait de lumière, le nom de Camille Monet, puis le cercueil fut descendu en terre par le cantonnier de la commune et ses aides. Le prêtre bénit une ultime fois, puis les assistants défilèrent devant la fosse,

CAMILLE SUR SON LIT DE MORT.

avant de gagner la sortie. Il n'y eut plus qu'à reboucher le sol. Il était midi. On entendait la terre pierreuse crisser sous les pelles des fossoyeurs, froisser l'air, puis tomber en pluie sur le cercueil. Le coq chanta. Monet se retourna. La vallée était pleine de soleil. Le fleuve y faisait une grande boucle et semblait un lac, immobile et brûlant. Il s'éloigna à son tour.

CLAUDE

Monet regardait sa main droite sur la nappe. Il y avait longtemps qu'il avait cessé de compter les taches brunes sur sa peau. Il ne se souvenait pas du moment où il avait remarqué l'apparition des premières. Il avait dû les prendre pour des macules de peinture un peu plus tenaces que les autres. Les miettes du gâteau de Savoie parsemaient le linge blanc brodé au nom d'Alice. Il buvait le café, on parlait. Comme tous les dimanches, autour du maître, la grande table de la salle à manger était entourée par des membres de la famille et un ou deux de ses intimes. Les enfants – il tenait à leur présence – avaient quitté le bout de la table aussitôt après le dessert, quand on avait servi le café et les liqueurs. Ce n'étaient plus les siens, mais ceux de ses propres enfants, ou plutôt, ceux d'Alice. Ils faisaient autant de bruit.

Tous ceux qui l'avaient pu étaient venus ce jour-là, avant-dernier dimanche du mois de juillet 1914. On n'avait pas attendu le gigot de sept heures et les pommes mousseline pour parler de la crise des Balkans, de la situation internationale et de la guerre qui paraissait désormais inévitable. Les hommes, qui avaient ressorti leur livret militaire, disaient le « deuxième jour » ou le « troisième jour », pour indiquer la date prévue de leur mise en route après la publication du décret de mobilisation. Il faisait très beau. Monet ne disait rien. Il n'écoutait plus. En roulant des miettes sous ses doigts, il regardait dans l'ouverture des portes-fenêtres, au-dessus des arbres, les petits nuages blancs sur le bleu du ciel. C'était le moment de l'année où les feuillages, dans leur pleine maturité, avaient atteint le vert le plus intense, presque noir quand la lumière était trop vive ou qu'elle déclinait. Comme il faisait bon. On sentait l'odeur de la campagne au plein de l'été, le parfum de l'herbe après les grandes floraisons. Une guêpe était entrée, ce qui énerva une femme. Un des futurs soldats l'assomma d'un coup de serviette. « La guêpe ! » Cela fit sourire Monet.

Il regardait Michel qui, malgré la moustache et le masque viril de ses trente-cinq ans, ressemblait tellement à sa mère, Camille. Jeune homme, il avait autrefois intrigué et fini par se faire réformer grâce aux relations de son père. Le voilà maintenant, ce nonchalant, qui parlait de s'engager. Les autres disaient leur numéro de régiment d'un ton fatal et résolu. Est-ce que la guerre lui prendrait son second fils après que la maladie lui avait volé le premier, Jean, au début de l'année ? Le costume de lin clair qu'il portait ce dimanche avait à peine été usé par les saisons précédentes. Il était allé de deuil en deuil : Suzanne, la fille aînée d'Alice, des enfants en bas âge de sa belle-famille, et puis Alice elle-même, devenue sa femme, que les malheurs successifs et l'inconduite, la veulerie de Jacques, son fils aîné, avaient brisée. Il n'avait pu la sauver, ni de la tristesse, ni de la maladie. Étrange maladie qui l'avait consumée un an après la grande inondation de 1910. Elle avait pourtant eu assez de force encore pour tenter de le consoler devant le jardin ravagé et les mares effacées sous la boue. À quoi bon tout ce jaune dans la salle à manger, ces cordons d'azur dans l'émail des assiettes, ce bonheur des belles choses ? Il était riche. Il ne savait pas exactement à combien s'élevait sa fortune. On devait le voler un peu. Les domestiques, les marchands d'art... Qu'est-ce que cela pouvait faire ? Il pouvait acheter ce qu'il voulait. Il ne voulait plus grand-chose. Il était vieux, il perdait la vue. Un peintre aveugle ! Comme ce fou de Beethoven qui ne pouvait plus entendre sa musique. Quelle dérision ! Est-ce qu'il avait seulement pensé à se ménager autrefois, quand il s'usait le regard sur les reflets du soleil, est-ce qu'il avait seulement pensé alors à tout ce que de ses yeux la Seine avait emporté ?

Blanche avait posé un instant sa main près de la sienne. Après son mariage avec Jean, elle avait toujours occupé le siège à sa droite. Depuis l'hiver dernier, quand son mari, très malade, avait été installé à Giverny pour y recevoir les meilleurs soins, et, s'il ne pouvait être sauvé, mourir près de son père, elle se tenait chaque jour, midi et soir, à cette place à la table de la salle à manger. Elle n'avait pas voulu prendre la chaise et le couvert de sa mère, face à Monet, en maîtresse de maison. Ce n'était pas par superstition ou modestie, mais parce qu'assise près du peintre elle voyait la même chose que lui et partageait la volupté de sa contemplation. Quand il portait son verre de vin à ses lèvres, elle savait qu'il regardait, par-dessus le disque pourpre et parfumé du bourgogne, les formes longues des nuages de traîne ou les grands châteaux des cumulus dans le désert du ciel. Comme lui, elle sentait l'odeur des lis ou de la glycine déborder jusque dans la pièce et se mêler aux fumets de la cuisine. Elle voyait entre les deux portes-fenêtres les estampes d'Hokusai et d'Hiroshige, ce qu'il y avait de mieux, après l'horizon.

Monet, avant même leur remariage, après la mort d'Ernest Hoschedé, ruiné, en 1891, avait toujours considéré et traité les enfants d'Alice comme les siens. Mais c'est Blanche qui l'avait aimé le plus. Elle l'avait choisi. Adolescente, elle insistait pour l'accompagner dans la campagne où il partait travailler de bonne heure, à la pointe de l'aube, comme les paysans qui vont soigner leurs bêtes. Depuis son lit, elle guettait les bruits dans la maison qui lui indiqueraient le réveil du peintre et ses préparatifs. Le moment venu, elle se glissait hors de la maison, derrière lui. Quand il s'apercevait de sa présence, il était trop tard pour la renvoyer. Alors, dissimulant sa contrariété, il lui laissait porter une partie de son attirail. Quand il lui manquait un tube de couleurs ou qu'il voulait mettre en train une toile supplémentaire, elle allait les chercher à l'atelier et les lui rapportait. Elle s'était mise à crayonner près de lui. Au début, cela l'agaçait. Puis, un jour, pour son anniversaire, il lui avait offert un carnet à dessins et une boîte d'aquarelle et ce fut le plus beau jour de sa vie. Elle se tenait à distance avec son matériel, en prenant garde de ne pas s'attaquer au même motif que son beau-père. Un soir, il lui demanda de lui montrer ce qu'elle avait fait. Il tirait sur sa cigarette, assis sur les marches de bois du perron, dans les derniers chauds rayons du soleil : « Pas mal. Il faudrait que ta touche soit un peu plus légère quand tu fais le ciel. Le papier, c'est déjà le ciel. Il faut y ajouter le moins possible. Du bleu, oui, un peu de rose s'il le faut, mais le moins possible. Les choses se ressemblent et sont bien telles qu'elles sont, tu sais. »

Dès lors, il prit l'habitude de l'emmener. Elle poussait la brouette remplie de toiles. Sa présence lui devint indispensable. Quand il avait fait les séries des peupliers et des meules, Blanche était près de lui, avec son propre chevalet posé à quelques dizaines de mètres, différemment orienté. S'accordant une pause de temps en temps, il venait voir où elle en était. En tirant sur sa cigarette, il lui donnait de brefs conseils et soulignait ses indications de mouvements du doigt au ras de la toile. Un jour, jour de fierté, il l'avait figurée en train de peindre dans le marais de Giverny, devant un rideau de peupliers. Elle était devenue un bon peintre. Elle vendait aussi, en signant de son nom de jeune fille. Elle devinait que les marchands, en disant aux amateurs qu'elle était la belle-fille de Monet, faisaient monter le prix. C'était de bonne guerre. Pourtant, parfois, elle le savait, un passant se renseignait sur le tableau qu'il avait regardé derrière la vitrine, qui lui plaisait, et c'était le sien. Elle avait cessé de peindre après la mort de Jean.

Elle s'occupait de son beau-père et de la maison maintenant. Sa présence affectueuse, attentive, traversait ses journées comme une fusée de soleil le plus poussiéreux grenier. Blanche avait fait revenir, à sa manière, appliquée et efficace, le temps d'Alice. Grâce à elle il pouvait consacrer le meilleur de son énergie à sa peinture, à ses jardiniers, aux massifs de fleurs, à marcher dans les allées odorantes du domaine en discutant avec un ami, à rêvasser sur le pont japonais, à suivre des yeux la fumée de sa cigarette, à lire et à ne rien faire du tout. « C'est ce qu'il y a de plus difficile, ne rien faire. L'angoisse vient, vous envahit, vous tient. Et il faut pourtant rester là, à s'occuper de pas grand-chose, à feuilleter un livre d'images, tapoter le baromètre, faire un tour en voiture sans raison, se promener au bord de l'Epte ou des falaises, les mains dans les poches, en suivant du regard la fuite d'un chevesne, les ronds sur l'eau d'un voile de pluie, la trajectoire d'un geai, parce que c'est à ce moment-là, dans l'angoisse de ne rien faire, qu'on peint vraiment. » C'est ce qu'il aurait voulu leur dire aux gens, aux journalistes, mais est-ce qu'ils auraient compris ? Blanche, oui. Très bien.

Depuis ce printemps 1914, depuis que sa belle-fille résidait à nouveau à Giverny et qu'il n'était plus seul dans la grande maison autrefois si animée, le goût de vivre l'avait repris, et, malgré sa vue déclinante, sa tendance à confondre certaines couleurs, le désir, le besoin de peindre lui était revenu. Il se souvenait de ce jour du dernier mai où, dans le sous-sol, il avait dégagé du drap protecteur des dizaines de toiles inachevées déposées contre les murs. Il les avait toutes retournées jusqu'à ce qu'il eût retrouvé des travaux abandonnés presque vingt années auparavant. Ces tentatives dataient de 1897. Leur série représentait l'étang dont le creusement et l'aménagement au bas de la propriété venaient d'être achevés. Pour la première fois, les nénuphars, qu'il préférait appeler nymphéas, peut-être parce que le nom plus élégant et mystérieux lui rappelait le Japon d'où il les avait fait venir, avaient fleuri en grand nombre. Il eut quelques semaines de peinture frénétique au bord de l'eau morte, et puis il avait tout laissé en plan. Il ne savait plus très bien pourquoi. C'est à ce moment-là que Suzanne était tombée malade et qu'Alice avait entamé sa lente descente au désespoir.

Il regardait ses études de nénuphars dans la lumière atténuée de la remise, la seule que ses yeux supportaient désormais. Les fleurs aquatiques flottaient sur des reflets. Il ne pouvait désormais peindre le ciel que filtré par un écran de feuillage, ouaté d'épais nuages ou glissant sur l'eau. L'étang, réaménagé après la catastrophique inondation de l'hiver 1910, avait atteint la maturité, la pleine expression de ce qu'avait rêvé Monet. Ses teintes glauques, où les effets de lumière assourdis mêlaient l'air et l'eau, baignaient voluptueusement le regard blessé du peintre. Une autre dimension des choses vivantes lui apparaissait qu'il n'aurait pas su voir quand il était jeune. Elle était supérieure, il le sentait, parce qu'elle lui apportait une certaine sérénité dans la contemplation. Il avait fallu la longue préparation d'une vie pour l'atteindre et le comprendre. Il y a vingt ans, il avait deviné que quelque chose était là, qui l'attendait, mais c'était encore trop tôt. Impatient, tumultueux et désordonné, il s'était prématurément jeté à la conquête de ce qu'il fallait encore attendre. Maintenant, devant ses yeux usés, un monde intermédiaire s'ouvrait, neuf pour lui et vieux comme la Création.

Monet en avait parlé à Blanche le soir même, avec un ton et des mots nouveaux, une ferveur recueillie qui avait impressionné la jeune femme. Le lendemain, avec la crainte d'être déçu, il retourna voir les études avec elle. L'impression de la veille lui était revenue immédiatement, il la commenta avec animation. C'était certain, le peintre avait trouvé en lui une veine neuve et riche à creuser. Parce qu'elle l'aimait, Blanche était surtout heureuse d'assister au regain de la passion chez le vieil homme. Il avait redressé sa courte taille et, les jambes serrées dans le pantalon, les pieds fermes sur le sol, maniait les toiles avec précision et vivacité, comme autrefois. Il en fit transporter quelques-unes devant le bassin, là où il les avait commencées près de vingt années plus tôt. Après un moment d'observation silencieuse, il se mit au travail. La peinture brillante d'humidité, crémeuse, se liait sous le pinceau aux traces séchées déposées autrefois sur la surface blanche. Le temps, là où elle était encore vierge, l'avait un peu jaunie ; le passage du pinceau lui rendait la fraîcheur du jour. La vie semblait monter d'une profondeur invisible, de dessous la toile. Les choses présentes devant lui, par une mystérieuse vibration de la vie, de leur souffle humide avaient fait lever une buée de couleurs.

Blanche, après avoir donné ses instructions aux domestiques, descendait à l'étang ou se rendait à l'atelier pour le voir travailler. Autrefois, à part Renoir, Sisley, Bazille et Manet, ses camarades de jeunesse, Camille avait été l'unique présence supportable au moment où il peignait. Sans le lui dire, au contraire, il aimait et désirait que Camille se tienne près de lui. Il travaillait plus sereinement. Elle absorbait son angoisse, le rassurait. Il sentait le silence de sa femme éponger l'inquiétude de son âme. Elle était bonne et généreuse. Il n'avait jamais su le lui dire autrement que dans la violence de l'amour. Il savait maintenant, et il saurait dire. Blanche n'avait ni la beauté, ni la grâce de Camille, ni sa merveilleuse indolence, cette douceur du corps, mais, comme Camille, elle avait le goût des autres.

Bien qu'il ne pût s'empêcher de la taquiner sur sa manière de s'enrober de voiles et d'écharpes, noires depuis la mort de Jean, qui atténuaient, pensait-elle, ses formes imposantes et allongeaient sa silhouette courtaude, Monet avait pour Blanche les mêmes égards que pour Alice, sa mère. Jalouse et altière, Alice l'avait contraint à la prudence et à une modération qui lui était pénible. Le caractère et la situation de Blanche, qui dépendait entièrement de lui depuis qu'elle s'était réinstallée à Giverny, ne l'obligeaient pas de la même manière. Pourtant, sans se départir de son air bourru, il avait pour elle une patience et une gentillesse étonnantes. Il se rattrapait. Blanche, environnée de sa voilure démonstrative, allait couper des fleurs pour la salle à manger et prévenait le maître de maison que le bœuf mode ou le veau Marengo avait suffisamment mijoté et qu'on pourrait bientôt passer à table. Le retour d'une femme dans le jardin le comblait. Celle-ci était suivie d'un fantôme. Au détour d'une allée, derrière le rideau d'un rosier grimpant, figure claire passant dans le soleil, derrière les fleurs et les feuilles, il lui semblait revoir Camille dans le jardin d'Argenteuil. À Giverny, elle venait en visite chez les vivants. « Alors, Claude ? »

De sa première femme, Alice avait détruit, progressivement et systématiquement, toutes les photographies, même celles prises par Caillebotte, même celles où figurait Jean enfant près de sa mère, et toutes les lettres échangées avec Monet. Il n'avait pas objecté et n'avait rien tenté pour soustraire à sa jalousie le moindre objet. De cela, il n'éprouvait pas de regret. Il attachait peu d'intérêt à ces traces mortes de l'existence. Elles n'étaient que papier flétri, vains reflets du passé, caricatures inexactes de la splendide et vivante mélancolie des souvenirs. Il avait d'ailleurs laissé sans entretien la tombe de Camille à Vétheuil, à un quart d'heure de voiture à peine de Giverny, et n'y allait jamais. En revanche, aussitôt passé le deuil d'Alice, sa dernière grande souffrance, il avait ressorti *La Capeline rouge* de sous la couverture et les empilements qui la préservaient du regard de sa seconde femme, et l'avait accrochée en bonne place, au milieu d'un mur de son atelier, à hauteur de son regard. Chaque jour, après le petit déjeuner, après le déjeuner, en été, après le dîner, quand il entrait dans l'atelier, il voyait la petite silhouette dans la neige, derrière la vitre de leur maison d'Argenteuil, tourner sa tête vers lui, et, au-dessus de la bouche ronde que le froid avait pâlie, les deux petites taches noisette et bleutées de ses yeux plonger dans les siens. « Si Alice avait vu ça, elle m'aurait arraché la tête ! »

Derrière les carreaux de la fenêtre close, dans le jardin enneigé, la femme aimée qui se retourne avant de s'éloigner était pour lui le plus beau tableau du monde. Il avait refusé de le vendre et se fâchait avec les imprudents qui en esquissaient l'intention. Alice n'avait rien tenté contre les représentations peintes de celle qui l'avait précédée. Sans oser le dire, elle aurait pourtant aimé que ces tableaux-là ne soient plus dans leur maison, que son mari s'en défasse. Loin d'y songer, Monet éprouvait pour eux un attachement particulier qu'il ne parvenait pas à masquer devant elle. Elle savait qu'il avait lui-même pendu au-dessus de son lit, dans sa chambre où elle entrait rarement, deux portraits de Camille par Renoir : celui peint dans le jardin d'Argenteuil, où elle figurait avec Jean, le coq et la poule, et celui où, sur son visage lumineux, la bouche semblait un baiser. Alice en souffrait d'autant plus que ses propres apparitions dans la peinture de celui qu'elle appelait « Monet » étaient rares. Elle y était méconnaissable, une touche du pinceau à la place de la tête. Comme le peintre lui faisait prendre les mêmes poses, beaucoup croyaient qu'il s'agissait de Camille. Les seuls vrais portraits d'Alice remontaient au temps lointain des commandes passées par son premier mari, Ernest Hoschedé, mirobolant mécène, au temps où Monet n'avait de richesse qu'un talent moqué et la beauté de sa femme. Par la suite, installé à Giverny, remarié, Monet avait peint les filles d'Alice, mais pas elle. Et puis, il n'avait plus peint de figures humaines, que des paysages et des monuments, le ciel et l'eau.

Dans son atelier, le deuxième, celui qu'il avait fait construire en 1889, quand l'argent des collectionneurs américains avait commencé d'affluer, Monet avait accroché *La Capeline rouge* juste à côté, à le toucher, du *Déjeuner sur l'herbe*. Sur cet immense tableau figuraient aussi Camille et Frédéric Bazille. C'était lui l'homme barbu, debout, parapluie à la main et coiffé d'un chapeau melon, lui aussi l'homme couché. La jeune femme assise devant lui avait la chevelure flamboyante de la jeune modèle dont ce méridional timide était amoureux à l'époque. Non loin était accroché *Femmes au jardin*.

Le grand tableau aux quatre femmes avait voyagé. Bien après la mort de Frédéric, il était passé chez Édouard Manet, qui avait raconté à Monet comment l'affaire s'était arrangée. En 1876, visitant la galerie de la rue Le Peletier à Paris où exposaient les impressionnistes, Gaston Bazille, élu sénateur après la guerre, avait reconnu dans un des portraits exposés celui de son fils. Renoir l'avait représenté, trois ans avant sa mort, en pantoufles, en train de peindre *Le Héron* dans l'atelier qu'il partageait avec Monet. Sous le n° 224, le galeriste avait apposé la légende suivante : « Frédéric Bazille, peintre tué à Beaune-la-Rolande. » À l'époque, tout le monde savait ce que cela voulait dire. Le père avait longuement regardé le portrait de son fils. Son cadavre avait ce front lisse d'enfant sage et cette barbe châtain lorsque les fossoyeurs l'avaient extrait de la fosse commune creusée dans la plaine gelée du Gâtinais, un jour de neige de décembre 1870. Le gardien, après avoir consulté le catalogue, l'informa que le propriétaire du tableau était M. Édouard Manet.

Manet avait autrefois acheté le tableau à Renoir pour conserver le souvenir de ce garçon charmant, et bon peintre, qui avait trouvé la mort dans les ultimes efforts de l'armée française avant la défaite. Cela rappelait au peintre cet hiver de guerre quand lui-même montait la garde aux remparts de Paris assiégé. Il n'avait jamais eu aussi froid. Il ne fit aucune difficulté pour échanger à Gaston Bazille le petit Renoir contre *Femmes au jardin*. C'était une bonne affaire, évidemment. Le Monet était une merveille. Accroché au mur de l'atelier, le tableau encadré par un artisan de Montpellier faisait pâlir le reste. Autour de lui, tout semblait aspiré dans le tournoiement des robes brodées, du feuillage, de la pelouse brillante et de l'allée de sable sur lesquels était répandue une flaque de lumière. Manet était content de l'échange, de ce quatuor de figures féminines au milieu d'un jour d'été qui ravissait ses visiteurs. Sans le dire, il était mieux récompensé encore par le souvenir de cet homme tout de noir vêtu, la rosette de la Légion d'honneur au revers, qu'il avait vu tenir entre ses mains le portrait de son fils tué à la guerre et pencher vers lui son visage émacié, vieilli, abîmé dans le souvenir. Gaston Bazille ne voulut pas qu'on le lui livrât. Il l'emporta sous son bras, emmailloté dans un linge. Chez lui, il le déposa dans une caisse dont il encloua le couvercle, avant de prendre le train qui les emporterait vers sa femme et les siens, et la terrasse de Méric où Frédéric avait fixé leurs ombres au soleil de midi.

Après la mort d'Édouard Manet, en 1883, *Femmes au jardin* avait été troqué par Monet à la veuve contre un tableau de son mari. Il l'avait installé près du *Déjeuner sur l'herbe*. En même temps que des images de Camille, les deux œuvres, peintes au temps de Ville-d'Avray, faisaient revenir vers lui l'ami Bazille. Il avait constaté avec soulagement que, malgré les années, l'image peinte par le jeune homme d'autrefois, qu'il ne reconnaissait plus dans le miroir du matin, n'était pas altérée. Les couleurs avaient conservé l'éclat, le brillant, la fraîcheur que ses yeux avaient adorés. *Le Déjeuner* surtout. La toile, découpée en plusieurs parties, enroulée, l'avait suivi quelque temps dans ses pérégrinations avant d'être confisquée par un aubergiste à qui il devait de l'argent. Il avait racheté les morceaux après la guerre franco-prussienne, puis, dans le nouvel atelier aux grandes dimensions, les avait fait accrocher aux cimaises, à l'endroit le plus favorable. On aurait dit l'atelier élevé pour les deux immenses rescapés d'une ambition de jeunesse. « Et pour toi mon vieux Bazille. » Il était là lui aussi, quand Monet regardait son tableau. Sa longiligne silhouette, éternellement juvénile, faisait paraître plus trapue encore la stature épaissie de Monet. Cela aurait amusé Renoir.

Pauvre Renoir, tellement perclus de rhumatisme qu'il ne se déplaçait plus qu'en petite charrette. Il n'avait même pas pu venir à l'exposition organisée à Paris en hommage à leur ami Frédéric. Monet, qui depuis la mort de sa femme ne sortait plus guère, et le moins possible vers la capitale, avait tenu à être présent. Le père et la mère étant disparus depuis longtemps, c'est lui qui, avec le frère de Frédéric, avait accueilli les invités le soir du vernissage. Le peintre avait usé de toute son influence, devenue considérable, pour que la rétrospective Bazille puisse être organisée dans les meilleures conditions, et, grâce à lui, cela avait été un événement de la saison artistique. L'État avait acheté *La Réunion de famille* pour que l'on se souvienne en France que le jeune homme qui était tombé pour elle devant le mur du cimetière de Beaune-la-Rolande, dont le sang avait fait fondre un peu de neige sur la plaine, était un grand peintre. Monet n'avait pas pris la parole – il avait horreur de ça –, mais il avait fait venir son ami Clemenceau qui avait dit ce qu'il fallait en quelques phrases claires et sonores. Le ministre avait évoqué la figure du jeune artiste autrefois croisé dans les brasseries du quartier Latin, dont on voyait la tête et les épaules flotter au-dessus des consommateurs, dans une mer de fumée. Il avait parlé de son courage, de son sens du devoir et du malheur de la patrie.

Monet se tenait à l'écart, les bras croisés sur le ventre contenu par le gilet. Il songeait au temps de leur jeunesse, à leur ambition, à leurs espoirs, à ce qu'ils étaient devenus, à ceux de leurs camarades morts dans une quasi-misère. Il revoyait Pissarro traversant en courant les rues de Londres pendant l'exil, qu'il allait ensuite visiter dans sa maison de paysan à Pontoise, du temps d'Argenteuil. Il peignait ce qui était sous ses yeux et, comme la campagne derrière les Vierges à l'Enfant des maîtres italiens, c'était la vie rêvée, simple et tranquille. Le bon Pissarro, avec tous ses gosses, était le plus démuni, mais c'était lui, le peintre sans clientèle, qui lui remontait le moral. Il pensait à Sisley, ce merveilleux Anglais que l'injustice et l'indifférence avaient aigri sans éteindre en lui le désir de peindre et alourdir sa main. Jusqu'à la fin de sa vie il avait commencé ses tableaux par les ciels. « Tu comprends, il faut peindre d'abord ce qui change : le bleu, qui s'éteint avec le jour, les nuages qui s'en vont. Le ciel passe sur nous, nous passons sur la terre. Il faut commencer par le ciel ! » On s'arrachait leurs tableaux maintenant, les enchères montaient à Paris, Londres et New York. Monet avait payé l'enterrement de l'un et de l'autre tellement ils étaient pauvres. Il avait secouru leurs veuves et leurs enfants en achetant et en faisant acheter leurs fonds d'atelier. Le peintre devenu mondialement célèbre était âpre avec les marchands de tableaux et généreux avec ses camarades. Il faisait payer aux uns sa détresse d'autrefois, pour rendre aux autres et à leur famille ce que le talent aurait dû leur interdire de mendier. Quand les Américains ne pouvaient se payer un tableau de Monet, ils achetaient celui d'un de ses camarades. En faisant monter ses prix, il faisait monter ceux de ses amis.

Monet ne donnait pas que son argent, qui n'était plus rien pour l'homme qu'il était devenu. Il donnait son temps, sa force de travail, sa passion et son obstination rageuse, des morceaux de sa vie. Il mettait au service d'autrui l'autorité que lui conféraient le succès commercial, l'admiration universelle et ses relations. En 1890, il avait pris l'initiative d'une souscription visant à réunir les vingt mille francs qui permettraient d'acheter l'*Olympia* de Manet à sa veuve. Le but était d'en faire don au Louvre et de garantir un capital de rente à Mme Manet. Elle en avait rudement besoin. Il voulait aussi que la toile de l'ancien réprouvé soit proposée à l'admiration de tous par les pouvoirs publics eux-mêmes, dans le vaisseau amiral du patrimoine national. Il avait écrit à toutes ses connaissances, tiré toutes les sonnettes, s'était exposé aux rebuffades de gens qu'il méprisait, avait parié sur ses plus anciennes amitiés et en avait perdu, pour obtenir contributions et soutiens. Cela lui avait pris une année entière, pendant laquelle il avait cessé de peindre. Replié dans son atelier, brassant la paperasse, il se tenait assis derrière son bureau pour répondre à son courrier et tenir la comptabilité des dons et promesses de dons. Sur le papier à lettres, à la lumière du jardin et, le soir, à celle de la lampe, il usait ses yeux et tachait ses doigts d'encre noire. Ses pinceaux séchaient dans les pots et l'odeur de la peinture fraîche n'imprégnait plus sa barbe et ses vêtements. Il ne sentait plus que la cigarette. La meilleure, roulée de caporal, après celle du matin, était celle d'avant-dîner, quand il refaisait l'addition des dons.

Les plus modestes contributions venaient des gens qu'il admirait, écrivains et artistes de talent, dédaignés et démunis à due proportion. Cette inversion du rapport entre l'argent et le talent le troublait, le désorientait. Lui qui était riche et influent maintenant, capable d'obtenir du préfet l'autorisation de détourner un cours d'eau vers sa propriété, de se constituer une collection personnelle d'œuvres modernes, de faire patienter à sa porte des ministres, des princes et des milliardaires, n'était-il pas désormais inapte à peindre quelque chose de valable ? L'avait-il jamais été ? Dans une rumination morose, il se disait parfois que les alignements de zéros sur ses comptes en banque, sur ses obligations et actions ne pouvaient rémunérer qu'une supercherie. Il était devenu aussi prospère que Meissonier, dont le pinceau avait bâti la fortune en faisant reluire davantage de cuirasses que Napoléon n'en avait alignées à Austerlitz et Waterloo. S'il était au bout du rouleau, si sa production était surfaite, qu'au moins les dividendes de l'imposture soient mis au service d'un grand peintre. Manet, lui, était un géant.

Le premier à lui répondre fut le docteur Bellio. C'était le même homme, connaisseur et magnanime, qui avait autrefois permis à Monet de retirer du mont-de-piété ce médaillon gagé par Camille pour les nourrir. Il l'avait passé autour du cou de la morte avant la mise en bière, en effleurant des lèvres son front dur et glacé. Le mécène, en ratifiant les motifs de la souscription exposés par Monet, avait ajouté qu'il souhaitait conserver à la France le tableau qui, au Salon de 1865, avait provoqué un tel charivari à Paris et changé l'art de peindre dans le monde. Il ne fallait pas qu'un des collectionneurs américains qui le guettaient puisse mettre l'Atlantique entre *Olympia* et la terre où elle avait été engendrée. L'argument patriotique avait fait hausser les épaules au peintre. Il se fichait bien du prestige de la France.

Il ne voyait plus les choses comme cela pendant ce mois de juillet de 1914. Le monde avait changé, lui aussi. Il aurait mieux valu éviter la guerre, mais puisqu'elle était là, puisque les Allemands la voulaient, il fallait y aller, sinon dans l'enthousiasme, résolument. Car, cette fois, on devait absolument gagner. Une nouvelle défaite, et c'en serait fini de la France. Finie aussi la République, finies la nation et la liberté, finie la nation libre. Si l'armée était battue, l'État mis à genoux comme il y a quarante ans, la France serait démembrée, son unité irrémédiablement brisée. On lui ferait payer des siècles d'orgueil, une gloire sans pareille. L'Alsace et la Lorraine ne suffiraient plus à l'Empire allemand, il lui faudrait la rive de la Meuse et le massif de l'Ardenne. Il fallait maintenant en finir, entre la France et l'Allemagne la lutte à mort allait commencer. Comme tout le monde, il en était persuadé, et comme tout le monde, il voulait vaincre.

S'il ne l'avait encouragé, Monet avait approuvé l'engagement du fils qui lui restait. Quand Michel était venu en uniforme, depuis sa caserne, pendant sa période d'instruction, passer un dimanche à Giverny, Monet avait posé fièrement près de lui dans le jardin, pour le photographe. Ils s'étaient promenés tous les deux en parlant de son métier de soldat. Monet retrouvait avec plaisir le vocabulaire oublié, qui lui avait été familier à vingt ans, quand il montait à cheval et campait aux portes du désert. Il goûtait, en les prononçant, les mots étranges de la vie militaire : les grades, les armes, l'équipement des chevaux, le rythme des jours, les corvées, les coutumes et les rites. Chacun contenait un univers, sa jeunesse.

Dans l'atelier des débuts à Giverny, où il ne peignait plus mais déposait les témoignages des années passées, quelques tableaux, des objets, des livres, il avait ressorti le portrait en tenue de chasseur d'Afrique qu'avait fait de lui Charles Lhuillier, un camarade de jeunesse, pendant une permission au Havre. L'uniforme que portait son fils paraissait bien pâlichon à côté, chiche en tissu et pauvre d'ornement. Il était comme cette guerre. Elle avait montré immédiatement sa triste face de technicienne féroce et sans panache. Au début de septembre, avant que la victoire de la Marne ne refoule l'invasion, non seulement il avait refusé de se replier au sud de la Seine, mais, par défi, il était monté sur les hauteurs du village pour entendre, ainsi que l'affirmaient les villageois, le bruit de la canonnade. Il n'avait pas perçu grand-chose, sauf la rumeur que portait le vent. Elle n'était que le bruit de son passage dans l'air, quelque chose qu'il avait cherché à faire sentir, longtemps auparavant, en représentant des alignements de peupliers. En revanche, il avait vu passer les véhicules chargés de blessés qu'on évacuait vers les hôpitaux de l'intérieur. Il y en avait tellement qu'un artiste américain fortuné, installé à Giverny, avait mis à disposition des autorités une partie de sa propriété pour qu'on y aménageât une unité de soins pour les blessés. Monet contribuait à l'intendance du petit établissement sanitaire en l'approvisionnant des légumes de son potager. La soupe des quatorze soldats qui se remettaient là de leurs traumatismes était fournie par le peintre. Ses domestiques en âge de porter les armes avaient été mobilisés. Il les avait remplacés par des femmes ou des hommes âgés. En demeurant, il lui semblait participer à la protection de la petite collectivité où, tout en gardant ses distances, il avait plongé de profondes racines. Cela l'avait rajeuni.

Au soldat Michel Monet, il avait montré l'endroit où il envisageait de faire construire un nouveau bâtiment, au fond de la propriété. À près de soixante-quinze ans, en pleine guerre, il avait décidé de se doter d'un troisième atelier, un vaste hangar, aux proportions inédites, adaptées au projet dont il parlait depuis plusieurs mois. Le désir de représenter à nouveau les nymphéas cultivés sur son étang l'avait saisi, cette fois en les transposant sur une surface plus vaste. Aussi vaste que les fresques qu'il avait admirées aux murs et aux plafonds des églises de Venise. Les tableaux produits là-bas, pendant l'automne 1908, pour la dernière fois aux côtés d'Alice, n'étaient pas ce qu'il avait fait de mieux. Certains étaient vraiment médiocres. Ce n'était pas une ville pour lui. C'était trop beau, trop orné, trop riche de tout. Il s'était égaré pendant trois mois à vouloir remplir un programme de travail absurde. Les œuvres rapportées de Venise n'avaient pourtant pas manqué d'amateurs. Sa signature sous une vue du Grand Canal, du palais des Doges ou de l'île Saint-Georges-Majeur se vendait très bien. C'était bon pour les jobards, les prétentieux à gros compte en banque. En revanche, il était revenu de la Lagune avec de profondes impressions qui avaient commencé de se développer pendant l'insomnie du voyage de retour, dans le train de nuit qui le ramenait vers Paris.

À Venise, il était entré dans les basiliques et les églises, chose qu'il faisait rarement en France. Elles étaient très différentes, moins sombres, moins élevées, leurs intérieurs avaient des proportions de palais. Les architectes qui les avaient bâties n'avaient pas voulu, comme les Français, loger le mystère dans la hauteur, mais en entourer les hommes, le disposer dans la lumière, lumière du jour, lumière des cierges. Dieu était présent non seulement au-dessus, mais contre soi. Il était l'évidence et la foule devant l'évidence. Le visiteur de la présence divine à Venise ne hantait pas une forêt de piliers, mais s'avançait sur la place couverte d'une halle somptueuse, faite pour rassembler et ravir le peuple avoisinant. Les voûtes ne se perdaient pas dans l'ombre, mais s'ouvraient au-dessus des têtes comme des mains peintes. Il ne comprenait rien aux scènes religieuses qu'avaient représentées à leurs surfaces des athlètes de la peinture, mais il les sentait se déployer autour de lui comme des visions vivantes et réelles, fondues dans une féerie pour le regard. Il ne savait pas ce que racontaient les images et ne cherchait pas à le savoir. Cela ne l'intéressait pas. Ces volutes d'étoffes chatoyantes, ces turbans de nuages et les corps glorieux qui couvraient l'espace et lui imprimaient un mouvement secret, mais sensible, mettaient l'esprit à fleur des yeux. Les yeux obsédés, le cou tordu, le front haut, on s'y sentait une âme.

Monet en avait été plus touché qu'il ne l'avait pensé sur le moment. L'eau d'amande verte des canaux, suavement ridée, et, sur elle, les reflets des palais, des tours, des dômes, des clochers et des gondoles, tout le décor qui l'avait rivé à son chevalet, sur la place Saint-Marc, sur l'arche des ponts et devant des fenêtres ouvertes sur le va-et-vient des bateaux, s'était détaché de lui aussitôt qu'il avait quitté Venise. En revanche, il avait conservé dans sa mémoire, enfouis sous son propre labeur, ses vaines tentatives et les commentaires sans fin des voyageurs qui l'avaient précédé, l'empreinte des couleurs peintes sur les murs par des hommes morts depuis longtemps. Elles proposaient aux yeux des vivants, génération après génération, ce qui les rapprochait de l'invisible, la lumière éternelle déposée dans le bleu et le rouge, le vert et le jaune. Ils passaient devant et dessous, pieux ou incroyants, mais tous, également trempés dans le bain de couleurs, en gardaient la trace intérieure. Monet était comme tous les hommes.

Le bâtiment du troisième atelier, sur autorisation du sous-préfet de Mantes, s'était élevé au bout du jardin pendant l'été 1915. On ne le voyait pas depuis les fenêtres de la maison et le peintre s'en réjouissait car il était très laid. C'était vraiment un affreux hangar, comme ceux que commençaient de faire construire les paysans enrichis pour y loger leurs troupeaux, leurs matériels et leurs récoltes. Les voisins disaient que c'était bien la peine d'avoir un si grand artiste dans le village pour qu'il ait fini par l'augmenter de cette chose massive et sans grâce. Monet était indifférent à leurs racontars, pourtant il avait un peu honte de ce qu'il avait fait du paysage dont la vue lui était épargnée.

Dès qu'il eut franchi le seuil de ce troisième atelier, qui sentait le bois scié et le ciment frais, le neuf et le propre, il fut consolé de son aspect disgracieux et l'oublia. Jamais un peintre n'avait possédé un tel espace de travail, où couvrir et organiser à sa convenance de vastes surfaces. Le hangar était éclairé par les grandes verrières qui lui servaient de toit. L'ouverture sur le ciel était à la mesure de son énergie retrouvée. On avait commencé d'installer dessous les stores coulissants qui permettraient de filtrer le rayonnement du jour. Dans le drap écru, mollement tendu, la lumière semblait recueillie et peser. Des filins permettaient de manœuvrer depuis le bas les voiles et les cimaises encore nues. Les pas sonnaient sur le ciment, comme dans une gare ou une église. Dans une fabrique neuve. Il en serait l'ouvrier et le contremaître, l'architecte et l'ingénieur, la brute pleine de sensations au service d'il ne savait quoi. Il peindrait un mélange d'eau et de ciel, et il ferait voir au travers.

Campé au milieu de l'atelier neuf, les mains dans les poches, Monet promenait le regard aux quatre coins du bâtiment. S'il avait eu tout cela à sa disposition quand, à vingt-cinq ans, il avait entrepris son *Déjeuner sur l'herbe*, il en serait venu à bout, c'est sûr. Il évaluait les murs nus et lisses. Combien de toiles, combien de mètres carrés de peintures, combien de jours, combien de mois, combien d'années. Ce qu'il voulait faire n'avait pas d'exemple. L'absence du passé, le vide du présent et l'avenir à peupler étaient le programme de travail formé dans le cœur d'un homme seul, un vieil homme. Il pensait au pinceau, à la goutte de couleur onctueuse que l'instrument prélevait de sa pointe sur le bois de la palette, pour dresser, touche après touche, une image sur le néant. Il avait fait ce geste des millions, des milliards de fois.

La guerre avait espacé les visites de Clemenceau. Le parlementaire, attendant comme tout le monde un dénouement rapide du conflit, pendant les premières semaines ne s'éloignait plus de Paris. Un jour de décembre 1914, un peu avant le premier Noël dans les tranchées, Clemenceau, en route vers sa résidence de Bernouville, en Normandie, avait fait halte à Giverny. Prévenu par télégramme, Monet avait guetté longtemps à l'avance, avec impatience, le bruit d'un moteur dans la rue qui passait devant chez lui. Il tenait chaque fois à ouvrir lui-même la porte de sa maison à son ami. Quand il fut arrivé, après l'embrassade et les mots de bienvenue, son hôte dépouillé de sa houppelande et rafraîchi, ils passèrent dans la salle à manger. Clemenceau se frottait les mains en reconnaissant sur la table dressée l'argenterie et la vaisselle familières. Dès qu'ils eurent pris place, les verres sans pied furent remplis de vin d'Alsace, et la nappe tachée de ses pâles et transparents reflets. Monet n'avait pas laissé à Blanche le soin de composer le menu. Il avait demandé à la cuisinière de préparer les plats simples et rustiques qu'ils préféraient tous les deux. Se réjouir ensemble des choses que l'on aime pareillement, en mettant la conversation sur le même accord, c'était faire amitié. Le jaune des murs de la salle à manger avait débordé sur les meubles. Le peintre en aurait mis dans le cœur des gens. Leurs yeux en buvaient et cela leur ouvrait l'appétit. Monet demandait à la cuisinière de laisser la porte de la cuisine entrouverte, au début du repas, parce qu'il aimait en entendre les bruits et toute la gamme des sons que le feu sous les casseroles faisait chanter aux viandes et à leurs sauces. Il fallait que le parfum en vienne aussi, fastueuse et subtile ambassade du plat, avec ses épices et un long cortège de souvenirs. Et, parmi eux, les visages et les voix aimés révolus, toujours là, dans la maison, qu'un rien apparu dans la grâce des choses, un instant d'accord parfait dans l'existence, ranimait soudain et tous ensemble. Au milieu du repas, renouant avec un usage d'avant-guerre, il fit servir deux verres d'eau-de-vie, « trou normand » qu'ils lampèrent avant le dessert, en faisant claquer la langue. Enfin, la cuisinière apporta elle-même le diplomate, rubis, topazes et émeraudes confits baignant dans la crème anglaise, pour recevoir l'hommage hyperbolique de l'ancien chef du gouvernement. Les mains appuyées sur le bord de la table, les deux convives avaient reculé leurs chaises pour mieux étendre leurs jambes. Ils soupiraient d'aise. Vieillir ainsi.

Clemenceau avait parlé de politique et du cours de la guerre. Le gouvernement était peuplé d'incapables, juste bons à réciter les mots d'un catéchisme de parti et de caresser leurs électeurs dans le sens du poil. La plupart des généraux ne valaient guère mieux. Comme les chefs allemands étaient du même acabit, que les Anglais attendaient, et que les Russes étaient en dessous de leur réputation, la guerre durerait plus longtemps qu'il ne l'avait pensé : des mois, une année, peut-être plus. Les deux camps tenaient grâce à leurs soldats. La France pouvait vaincre, elle devait vaincre. Il suffisait que ce qu'il y avait de vigueur et de lucidité dans la République puisse à nouveau donner, comme cela avait été le cas au début de septembre, sur la Marne. Et puis il fallait davantage de canons. Les Allemands en avaient et les Français avaient bien du mérite de tenir sous leur déluge de ferraille. « Je pense que nous gagnerons à la fin, dit Clemenceau, parce qu'il le faut, parce que pour nous, plus que pour les Allemands, c'est une question de vie ou de mort. Nous gagnerons, si nous nous organisons mieux, parce que nous sommes les plus artistes, des paysans et des artistes, et qu'à cause de cela nous avons le sens et l'amour des choses, et que nous voyons. »

Le gel de la fin de nuit avait racorni les dernières roses. Aux branches des arbres, dans le verger et sur les berges de l'étang, persistaient quelques feuilles oscillantes qu'un caprice retenait de tomber. Dans la grisaille veloutée des bois alentour, de place en place, des traces de vieille dorure signalaient un grand chêne ou un hêtre. Le jardin s'étendait devant eux, noirci et luisant d'humidité froide. Les capucines ne couvraient plus les allées, redevenues droites et claires sous le gravier de rivière. « Tu as bien fait de faire couper les sapins. » Aussitôt après la mort d'Alice qui avait longtemps été, contre le désir de Monet, leur seule mais puissante protectrice, il avait ordonné l'élimination de ce double rang de résineux toujours sombres. Deux d'entre eux, les plus éloignés de la maison, avaient été épargnés en tribut à la mémoire de la défunte. « Ce sont les pivoines les plus contentes. » Il désignait les bâtonnets sectionnés ras qui, six mois auparavant, avaient porté le feuillage vert profond et lancéolé et les têtes des fleurs de mai. Ils revoyaient tous les deux la chair opulente et serrée de leurs pétales. Pendant une seconde, ils s'en rappelèrent avec précision le parfum malgré l'odeur de fumée qui flottait dans le fond de vallée. Monet avait appris à aimer le jardin à la morte-saison, comme un cœur noble sa fidèle compagne.

Les travaux d'élagage avaient commencé. On entendait, venus du verger, les coups des serpes sur les branches. Les souches des plantes vivaces avaient été partiellement recouvertes d'un fumier frais, dont les rousseurs déglaçaient le sol. On avait commencé de renouveler les tuteurs et les attaches des rosiers grimpants. Les deux vieillards marchaient par les allées comme dans les sillons d'un labour dont Monet exposait les fastes futurs, les exubérances promises. Il les faisait voir en même temps qu'il les inventait. C'était à cette période de l'année qu'il décidait des formes et des couleurs que le printemps, un jour du prochain mai, déploierait chez lui, pour ses yeux et l'agrément de ses amis. Du spectacle imaginé, il jouissait comme s'il existait déjà. Il aurait pourtant été incapable d'en représenter sur une toile quoi que ce fût de mémoire. Il lui fallait la chose réelle sous les yeux. Les photographies ne l'aidaient pas à peindre, mais à remuer la vision qui infusait en lui, à nourrir le désir de voir ou revoir. Elles étaient des souvenirs de voyage glissés dans les livres. Il parlait plus qu'à l'accoutumée devant Clemenceau. La cigarette qu'il gardait au bec hochait au milieu de sa barbe quand il parlait – « Tu vas y foutre le feu ! » La confiance de son ami, sa tendresse bourrue et l'odeur de la terre mouillée faisaient monter aux lèvres du taiseux des bouffées d'éloquence. Il disait alors que la peinture, ce n'est ni le temps passé, ni l'éternité, c'est l'espace et l'instant, le paysage et le temps, ce que durent des traces de pâtes vertes, bleues, jaunes et rouges répandues sur de la toile tissée serrée. Et, comme c'est impossible de peindre la chose elle-même, entièrement, vraiment, au moment exact où on la voit, ce n'est jamais ça. Aucun peintre ne peut être content de ce qu'il fait.

Quelques mots, le silence et la marche, renouvelaient l'accord profond entre les deux hommes. Ils avaient atteint la passerelle qui enjambait la ligne de chemin de fer Gisors-Vernon. C'était un des moments favoris de leur promenade. Le franchissement du pont de planches, qui sonnait sous les pas, élevait leur regard au-dessus de la vallée. Le village s'étirait au pied du coteau, de part et d'autre de la route, parallèlement à la rivière et à son escorte de saules et de peupliers, à la limite des terres soumises aux crues. Des toits montaient de minces fumées. L'hiver avait simplifié la terre, éteint les couleurs, chargé le ciel. Monet goûtait cette période de l'année, mais ne voulait plus la peindre, même sous la neige qui, comme un enfant, le précipitait dehors autrefois. L'hiver était une saison pour l'esprit, l'écho du monde à la mélancolie des hommes. C'était le temps suspendu, la fête de la mémoire, avant que la lumière du soleil revenu allonge le jour et fasse remonter la vie dans les plantes, dans les bêtes et dans les cœurs humains. En marchant avec son vieil ami, qui attisait, relançait la conversation, le peintre disait ce qu'il sentait, et qu'il lui semblait alors comprendre. Près de ses amis – il les reconnaissait à cela – le brouillard en lui se levait tandis qu'ils dialoguaient.

Le rideau d'arbres dépouillés ne masquait plus les contours de l'étang. De sa surface, les jardiniers retiraient chaque jour les amas de feuilles mortes, galettes brunes et jaunes encalminées dans les anses mousseuses que formaient les groupes de nénuphars. Celles tombées du matin, moins nombreuses depuis la fin de l'automne, étoilaient la pièce d'eau couleur de métal, aux immobiles reflets blancs. Monet et Clemenceau s'arrêtèrent au milieu du pont japonais, sous la charpente tourmentée de la glycine, pour observer les carpes. Leurs formes ternes se déplaçaient onctueusement, lents fantômes apparaissant, disparaissant sous les gluants disques verts.

À table, Monet avait parlé de son projet, affermi pendant l'automne : reprendre le chemin de l'étang, poursuivre ses travaux sur les nymphéas, mais à grande échelle. Il avait décrit l'atelier où seraient dressés et repris les panneaux peints au bord de l'eau. De l'index, il traçait avec énergie sur la nappe des traits que l'ongle y imprimait. Clemenceau songea au général qu'il avait vu la veille, lors d'une réunion de la commission de la guerre, désigner sur une carte les objectifs des prochaines attaques françaises, tirer des lignes et frapper du bout des doigts les crêtes tenues par les Allemands. Monet, qui allait se battre avec l'inconnu, était plus convaincant.

Le peintre, clair et précis sur la construction de son nouveau lieu de travail, ne l'était plus du tout lorsqu'il essayait de faire apparaître avec les mots ce qu'il voulait peindre. Avec le plat de la main, par larges circonvolutions lissant la nappe, Monet effaçait les marques du bâtiment. Il faisait tournoyer les formes de son rêve en essayant de lui donner les noms de choses et de couleurs réelles. Ses mains allaient plus vite que les mots. Plus le propos du peintre était heurté, confus, plus son assurance grandissait. Sa voix enflait, s'apaisait soudain lorsque la vision le bouleversait et finissait alors en murmure. Clemenceau écoutait, excitait la verve du silencieux. Le général avait été méthodique et net. Qu'en sortirait-il ? Dans le désordre de l'expression de Monet, quelque chose mûrissait au soleil de la conversation, était déjà mûr. Le regard de Clemenceau auscultait le vieil homme, suivait ses mains, ses yeux, lisait les plis de son front. La vie était là. Sur le pont de bois arqué au-dessus de l'eau, tandis que Clemenceau regardait l'étang, le bras de son ami, d'un geste ample dessinant sur l'air un grand cercle, en avait survolé la surface. « Comme ça, tu vois. »

Il comprit ce jour-là, avant le peintre lui-même, le projet grandi dans sa rumination et sa volonté et l'avait encouragé. Clemenceau était plus jeune de quelques mois à peine, mais cela l'autorisait à appeler le peintre « mon vieux », en lui accolant tout un bestiaire : crabe, ours, bourrique, hérisson. Monet grognait de contentement sous la rude caresse du mot. De la puissance qui l'animait, dans les bureaux de son journal comme entre les travées de la Chambre des députés, le vieil homme d'État déduisait celle du peintre, son jumeau. Tous deux étaient de courte taille, mais, effet du tempérament sans doute, paraissaient plus grands qu'ils n'étaient. Les années avaient un peu arqué leurs jambes sous leur taille arrondie ; leur torse n'en paraissait que mieux campé et plus solide. Les gestes de leur bras droit, celui du peintre comme celui de l'orateur, prompts et assurés, avaient la grâce efficace des mouvements d'escrimeurs dans l'assaut. Ils allaient ainsi par deux, bord à bord, à pas lents, à travers le jardin. On ne les dérangeait pas, on les regardait. Sous le bord de curieux chapeaux ronds, leurs traits, pétris par le chagrin et la force d'aimer, avaient la sérénité du sommeil. Ils rêvaient ensemble.

La pluie ramena les deux promeneurs vers la maison. Ils passèrent dans l'atelier, le premier, celui aménagé au bout de la maison, où le peintre ne travaillait plus, mais recevait ses visiteurs en accompagnant de quelques anecdotes les tableaux anciens conservés là. Monet y fit servir du café et, quand ils l'eurent bu, conduisit Clemenceau à l'étage, jusque dans sa chambre, pour lui montrer des acquisitions récentes. N'entraient là que les intimes. Sur les murs, autour de son lit, Monet accrochait de ses mains les tableaux auxquels il tenait le plus, les siens et ceux de ses amis qu'il admirait, dans un ordre connu de lui seul, si l'on peut appeler cela connaître. Il y avait aussi les œuvres de jeunes artistes dont la force, tandis qu'il passait dans la rue, depuis la vitrine d'une galerie parisienne l'avait empoigné. Parmi les Renoir, les Caillebotte, les Degas, les Morisot, les Bazille et les Cézanne que Clemenceau connaissait bien, Monet lui montra deux nouveaux tableaux, achetés à des peintres de la génération nouvelle, Marquet et Matisse. Leur trait plus appuyé, leurs masses aux contours nets, aux couleurs moins nombreuses, plus audacieuses et plus largement étendues, d'une harmonie sauvage, étaient admirables d'expression. Clemenceau, le visage si avancé vers les peintures que son nez semblait empêcher sa moustache de les effacer, le dit à Monet qui s'était éloigné et remuait quelque chose à l'autre bout de la chambre.

Il avait sorti de l'armoire une toile assez grande qu'il tourna vers son ami en se rapprochant de lui. Clemenceau ne la connaissait pas, mais l'identifia immédiatement. Un jour, pour lui faire comprendre l'obsession et le tourment de peindre, et peut-être autre chose en même temps, Monet lui avait avoué dans une lettre avoir autrefois représenté de sang-froid, alors qu'il veillait à son chevet, le visage d'une morte profondément aimée. Comme s'il s'opérait lui-même, fouillant du couteau sa blessure, il avait confessé l'espèce de conscience professionnelle, l'instinct de peindre, qui l'avait conduit à rechercher sur la peau du visage adoré des taches de couleur nouvellement apparues, celles de la chair inerte. Clemenceau regardait l'image entre les mains de son ami. Au premier abord, la dominante gris-bleu, largement délayée de blanc, produisait l'effet d'un paysage hivernal, d'un fragment de ciel encombré, ou de l'eau courante sous une lumière voilée. Un peu plus d'attention, et le regard distinguait des esquisses de formes sous la première impression, comme figées sous la glace. Ici, peut-être, une brassée de fleurs coupées ; là, sûrement, oui, c'était bien cela, les traits d'une figure, une tête emmaillotée dans un linge. Nez pincé, yeux clos, bouche entrouverte, ensevelie dans les couleurs froides, c'était Camille sur son lit de mort. Au bas du tableau, la signature avait été apposée par l'auteur d'une main ferme, avec un soin particulier, une application calligraphique : « Claude Monet ». Sur la hampe du « t » s'épatait une tache précisément dessinée, comme un pavillon noir au bout de son nom. Elle avait la forme d'un cœur fiché sur un pieu.

Quelques mois auparavant, à l'invitation des ministres du Commerce et des Beaux-Arts, qui avaient fait exprès le déplacement à Giverny, Monet avait accepté de quitter son village, ce qui ne lui arrivait plus guère, pour se rendre à Reims et y voir la cathédrale martyrisée. On souhaitait que le grand peintre français, le plus célèbre dans le monde, en particulier chez l'allié américain dont la France commençait d'accueillir les troupes, la représentât dans l'état lamentable où l'avaient mise trois années de bombardements. On aurait pour l'Histoire, par la main illustre, la représentation qui traverserait le temps et montrerait aux générations suivantes ce que la barbarie avait fait du chef-d'œuvre de la foi et de la science des hommes. Sous la conduite d'un pompier, du sous-préfet et de l'architecte des bâtiments de France, le peintre en avait fait le tour, était entré dans l'édifice encore majestueux, avait regardé le ciel entre ses voûtes crevées, à travers les ogives d'où l'on avait démonté les derniers vitraux intacts pour les mettre à l'abri. Il avait vu la grande ville dévastée, des quartiers entiers couchés sur des lits de pierres concassées, de poutres brûlées et de poussière de plâtre. Quand les immeubles étaient encore debout, ils n'avaient plus de fenêtres et leurs murs étaient criblés d'impacts. Des soldats passaient dans les rues déblayées, de rares civils vaquaient à des occupations fantomatiques. Aux vitres de la voiture d'état-major qui l'emmenait, filait l'étrange paysage. L'automobile qui le ramenait chez lui quitta le dernier faubourg de Reims et prit la route de Paris. Quand elle attaqua les premières rampes des collines du Tardenois, en traversant un bois que la guerre n'avait pas souillé, il lui sembla être revenu sur terre. Le lendemain matin, au bord de son étang, son manteau sur les épaules, il essayait de saisir du bout du pinceau la naissance de la lumière sur l'eau, à l'aube.

Monet peignait sur de grandes toiles qu'on fabriquait exprès pour lui, aux dimensions qu'il souhaitait, et commandait à ses fournisseurs parisiens des tubes de couleurs en grandes quantités, par caisses entières. À la fin de 1917, quand les difficultés d'approvisionnement et les restrictions d'une guerre interminable commencèrent de tarir la ressource, il fit intervenir Clemenceau, devenu chef du gouvernement en novembre. Entre deux visites sur le front et réunions avec ses ministres et les chefs des armées, celui que tout le pays appelait le Tigre, désormais affectueusement, avait téléphoné à son chef de cabinet pour lui demander de s'en occuper immédiatement. Il avait ordonné que l'on veillât à ce que soit livré à Giverny tout ce qui était réclamé par le peintre, qu'au besoin l'on réquisitionnât par la force armée et fasse transporter jusqu'à lui, par camion militaire, ce qui lui était nécessaire pour peindre. « Monet tient une portion du front », et il avait raccroché l'appareil. De Paris, par les routes de l'Est et du Nord, le chef du gouvernement montait chaque semaine aux tranchées pour se rendre compte lui-même du sort des soldats, goûter leur soupe et leur vin, et entendre ce qu'ils pensaient. Par la route de l'Ouest, le dimanche, il allait vers la longue maison aux volets verts voir comment avançait le travail de Claude Monet. Il l'écoutait se plaindre de ses yeux affaiblis, de sa fatigue, de la vieillesse, de sa folle entreprise. Clemenceau le rassurait, l'encourageait, l'exhortait. Il lui parlait de la guerre et de ce qu'elle coûtait de sacrifices et de souffrances au pays, et lui demandait des nouvelles de son fils qui était en ligne du côté de Verdun.

Sa tournée hebdomadaire sur le front conduisit Clemenceau le 6 juillet 1918 au fort de la Pompelle, devant Reims, qui opposait une résistance opiniâtre aux dernières tentatives allemandes de prendre la ville. Comme à chaque fois, depuis une meurtrière, il avait longuement observé le bourrelet de la ligne ennemie en grommelant, puis il s'était arrêté dans le couloir de la forteresse pour s'entretenir avec des officiers réunis en demi-cercle autour de lui. Quand ils rompirent, un des jeunes soldats qui lui avaient présenté les armes à son arrivée s'approcha, un bouquet à la main, et le lui tendit en bredouillant quelques mots. C'était des fleurs de la plaine champenoise, chassées par la guerre sur les parapets et dans les fossés crayeux de la forteresse, marguerites et bleuets, coquelicots aux pétales affaissés, déjà flétris, mais d'un beau rouge encore.

Le dimanche suivant, sur le pont japonais, il avait raconté la scène à son ami qui regardait les herbes osciller sous l'eau au mouvement rêveur des poissons. Les nénuphars avaient fleuri, flammes blanches et roses, fraîches pour l'œil. « Alors c'était un jeune soldat ? J'espère pour lui qu'il verra la fin de la guerre et la victoire. Son geste, peut-être, lui portera chance. » Clemenceau le regarda. « Je l'espère aussi, mais il y aura encore beaucoup de morts avant la fin, et, tu le sais bien, tu le sais mieux que personne : ce sont les plus courageux, les plus généreux, les plus nobles qui meurent en premier. Souviens-toi... Chaque matin, je la vois, cette tragédie. Elle est invisible dans les chiffres et les statistiques qu'on m'apporte, mais je la vois, et tu la lirais dans les journaux s'ils disaient toute la vérité. La France a déjà perdu le meilleur de son avenir. On la gagnera cette fichue guerre, mais qu'est-ce qu'elle nous aura coûté cher. Comme le pays, j'en meurs chaque jour. »

En revenant vers la maison, Clemenceau remarqua devant la porte du salon atelier trois petites toiles déposées là sans précaution. Monet lui dit qu'il avait demandé au jardinier de détruire des autoportraits qu'il s'était laissé aller à brosser quelques jours auparavant. Clemenceau en saisit un, le tint un instant devant lui : « C'est un crime ! Tu ne peux pas faire ça. » Le connaisseur eut beau exposer toutes les beautés qu'il y voyait, l'expressivité prodigieuse des trois figures peintes, leur rareté dans l'œuvre du peintre, le chef du gouvernement eut beau essayer l'argument d'autorité, invoquer la France, le service dû à sa gloire et le caractère sacré de son patrimoine, et, pour finir, en appeler aux mânes de Rembrandt, le peintre resta inflexible. Plus l'autre s'emballait et plus il se retranchait dans la réprobation hargneuse de ce qu'il avait fait et qui devait disparaître de la surface de la terre. « Cela ne vaut rien, ne doit pas être, n'a jamais existé. Au feu ! » Ils allaient se fâcher quand Blanche, qui avait entendu monter leurs voix, les invita à entrer dans la maison, boire un verre de cidre et manger un morceau de brioche. Ce qu'ils firent, penauds. À l'heure du départ, Monet raccompagna Clemenceau jusqu'au seuil. Cette fois, contrairement à leur rituel, l'hôte n'attendit pas que la portière se fût refermée sur son visiteur et que sa voiture ait disparu au bout de la route avant de rentrer chez lui. Clemenceau ne le remarqua pas. En se baissant pour entrer dans la voiture, il avait aperçu, posée sur le siège arrière, l'image laissée au sol une heure auparavant, de l'autre côté de la maison : la grande barbe, blonde de lumière, et la tête ronde et cuivrée de son ami. Le portrait, lui sembla-t-il, le regardait depuis le fond de la banquette.

Le lendemain, Clemenceau alla lui-même porter la toile au Louvre. Le directeur, prévenu, entouré de quelques collaborateurs, l'attendait dans le hall d'honneur. Comme il devait ensuite se rendre au palais de l'Élysée, le président du Conseil ne voulut pas monter jusqu'à son bureau, et c'est là qu'en quelques mots qui résonnaient sous la grande voûte royale il raconta au haut fonctionnaire l'histoire de l'œuvre sauvée in extremis de l'autodafé, son regret de n'avoir pu empêcher la destruction des deux autres et son admiration pour un autoportrait qui exprimait la puissance et la joie de créer. Après avoir raccompagné le président à sa voiture, le directeur remonta lentement le grand escalier. Marche à marche, il contemplait la toile. On n'y voyait pas grand-chose. Parvenu dans son bureau, il s'approcha de la fenêtre pour mieux saisir la face rayonnante de vie et de force du vieux peintre. Il le regarda en pleine clarté, scrutant la matière de la peinture, et, là où elle était moins épaisse, le grain de la toile sous la couleur. Au bout d'un moment, il sonna l'huissier pour qu'on aille chercher un des conservateurs. Quand son collègue eut à son tour considéré l'autoportrait du maître, il lui demanda s'il voyait la même chose que lui : le trait amer de la bouche tracé en travers de la barbe, et, sous le buisson des sourcils, les yeux sombres du vieux peintre fuir le regard.

Monet travaillait chaque jour, en y mettant toutes ses forces. Il ne disait plus l'étang, les nénuphars ou les nymphéas pour désigner l'œuvre en cours, mais « les Décorations » ou « les Grandes Décorations ». À ses visiteurs, il disait vouloir créer, plus qu'une série de tableaux sur le même thème, comme les peupliers, les meules de foin et la cathédrale à Rouen, de vastes surfaces peintes qui entoureraient l'amateur et le feraient pénétrer dans l'œuvre elle-même. Il voulait réaliser, en plus grand, en plus beau, ce qu'il avait fait autrefois pour le salon d'Ernest Hoschedé, puis celui de Durand-Ruel, des panneaux décoratifs. Cette fois, la décoration ferait plus qu'embellir les dimanches et les soirées d'un grand bourgeois, elle agirait sur son esprit non comme une distraction, mais en l'absorbant, en le noyant dans la matière réduite à sa beauté. Il n'en disait guère plus, et rien du tout de la destination de ce dernier travail, cette commande qu'à soixante-quinze ans il s'était passée à lui-même. Il regardait les panneaux en même temps que ses visiteurs, semblait peindre l'invisible en faisant des gestes dans l'air accompagnés de quelques mots, puis il remettait les mains dans ses poches et se taisait longuement avant d'allumer une cigarette. On se demandait s'il savait lui-même où il allait et pour quoi faire.

Son œuvre était considérable, il n'avait plus rien à prouver. On s'accordait à le considérer comme le grand peintre de son temps, l'équivalent de Hugo pour la littérature et Rodin pour la sculpture. Il n'avait plus besoin d'argent. La vente d'un tableau de temps en temps suffisait à payer ses dépenses désormais limitées à l'entretien du jardin et d'une maisonnée réduite. Les deuils successifs et les séparations imposées par la guerre avaient vidé les chambres, mais leurs volets restaient ouverts et la façade de la maison conservait l'apparence de la vie. Monet n'y faisait plus attention. Dans une débauche de peinture fraîche, il oubliait la tristesse de vieillir parmi les souvenirs de ses morts.

Au printemps 1918, lorsque l'ultime offensive allemande était revenue battre de son sanglant ressac le sud de la Picardie, lécher les bords de l'Oise à Compiègne et les forêts du Valois au-dessus de la vallée de l'Automne, un nouvel exode avait mis sur les routes la population des régions menacées. Comme en 1914, tirées par un cheval de labour ou une paire de bœufs, des charrettes surmontées de meubles et de matelas, suivies de pitoyables cortèges de femmes, de vieillards et d'enfants, avec le chien et la cage à serin attachés à la ridelle, avaient traversé Giverny. Monet les avait regardés passer, leur avait fait servir à boire, distribuer du pain, mais, encore une fois, avait refusé de partir. Il voulait rester près de l'étang, avec, à flanc de coteau, sous les verrières de l'atelier neuf, ses toiles disposées autour de lui. Les Allemands pouvaient bien pousser jusque-là, il ne céderait pas, il ne s'enfuirait pas. « Merde pour les Boches ! » Il avait soixante-dix-huit ans et, toujours solide sur ses jambes, tremblait de fureur en jetant au loin son mégot.

Au mois de juillet, la contre-offensive des Alliés écartait définitivement le péril. La guerre n'en avait plus que pour trois mois. C'était suffisant pour remplir d'immenses cimetières, en Flandres, en Picardie, en Champagne et en Lorraine, de sages lignes de croix. Le 11 novembre à minuit, enfin, l'armistice était signé dans la clairière de Rethondes et la nouvelle en traversait aussitôt la France, l'Europe et faisait le tour de la terre. Le 12, Monet écrivait à Clemenceau qu'il faisait à la France victorieuse l'hommage de deux panneaux des *Nymphéas*. Le 18, avant de partir vers Metz et Strasbourg libérés, où les agents de police parlaient de nouveau le français, Clemenceau faisait le voyage de Giverny pour recueillir de sa bouche la promesse du peintre, procéder au choix et l'en remercier au nom de l'État. Tandis que le président du Conseil, en manteau, chapeau et bottes de tranchée, debout dans le vaste atelier, plein d'embarras face à la muraille de peinture éclairée du ciel, se demandait qu'en choisir, le peintre, en tirant les filins qui faisaient descendre et coulisser les toiles dans une lente féerie, se demandait lesquelles risquaient de le quitter. Ils parlèrent de l'endroit où elles seraient montrées. Il fallait un lieu à la mesure de la singularité de l'œuvre. La joie de la victoire et de revoir bientôt Michel, son fils, vivant, le retour à la mère patrie de la Lorraine et de l'Alsace, le soulagement de la fin, l'ampleur du sacrifice, le deuil immense le submergeaient. Deux panneaux... le chiffre lui parut mesquin. Tout irait à l'État, *Les Grandes Décorations* en entier seraient pour la France.

Clemenceau parti, Monet revint seul dans l'atelier. La nuit de novembre, précoce et rapide, était tombée. Il n'avait pas allumé les lampes électriques qui blessaient ses yeux malades et s'éclairait avec une torche, celle utilisée par les officiers dans les abris et sapes des tranchées. Il voyait mieux ainsi. Le pinceau de lumière parcourait les grandes toiles pendues autour de lui, faisait sortir de la nuit, ici, un saule, là, le reflet des nuages, un trio de nénuphars roses du printemps, de l'eau verte, les formes indistinctes du monde, un visage peut-être, et la nuit pour finir.

Le travail n'était pas achevé. Monet avait encore besoin de temps, du temps que l'État de son côté, c'était convenu, mettrait à profit pour construire et aménager un lieu adapté à la présentation au public de l'œuvre en cours. Il fallait aussi soigner les yeux du peintre atteints de cataracte. À nouveau, avec plus d'insistance parce qu'il avait remarqué que Monet, en retouchant ses panneaux, comme il faisait toujours, les gâchait plus souvent, Clemenceau, partisan des grands moyens, l'avait incité à voir un spécialiste. « Il faut qu'on t'opère, je connais un bon confrère qui fera cela à merveille. » Monet hésitait, n'arrivait pas à se décider. Il avait peur de perdre ce qui lui restait d'acuité visuelle, de devenir aveugle si l'opération ratait. À bout d'arguments, Clemenceau avait fini par lui dire qu'il manquait de courage, que ce n'était pas la peine d'avoir fait construire ce vilain atelier, d'avoir commencé une si grande œuvre, s'il devenait incapable de distinguer le jaune du bleu, le rouge du vert, et que ce serait bientôt le cas s'il ne se décidait pas. Quand il voyait les tableaux que son ami avait peints pour se détendre des *Nymphéas*, et pour faire rentrer des sous, Clemenceau pensait que c'était déjà le cas. Il ne le lui disait pas, pour ne pas accroître son angoisse, mais sa peinture s'empâtait et prenait un aspect de ratatouille que la réputation du peintre protégeait, hélas, de la critique. Personne n'osait lui dire que c'était laid. Ce que les fils Durand-Ruel, aussi intègres que leur père, refusaient d'acheter, d'autres le prenaient et faisaient de l'or sur son nom. À Paris ou à New York, les grands bourgeois donnaient de plus en plus d'argent pour pouvoir accrocher un Monet dans leur salon. Il était le peintre le plus cher du monde, donc le meilleur, même si l'on

FEMMES AU JARDIN.

n'était plus très sûr de ce qu'on voyait sur le tableau. Heureusement qu'il avait un titre. Les troubles de la vision s'aggravant, Monet dut enfin admettre que ses impressions tournaient à la confusion, et ce qu'il peignait aussi. Une dernière charge de Clemenceau, et il finit par se résoudre à l'opération. Après quelques jours de repos forcé dans la pénombre, prolongés par son indiscipline et une extrême agitation, la perception claire et distincte des couleurs lui était revenue. Il se remit au travail avec une allégresse nouvelle.

Avec la vue complète il retrouva la sévérité et l'effroi de ce qu'il avait fait. Il détruisait de nouveau une bonne partie de ses toiles, ou bien parce qu'elles étaient ratées, ou bien parce qu'il les avait gâchées en essayant d'y apporter des améliorations. Des bruits sourds venaient de l'atelier, traversés d'imprécations. Tout le monde passait au large. Quand la crise était passée, Blanche, sur les indications de son beau-père, découpait un petit morceau de la toile condamnée qu'un jardinier était ensuite chargé de brûler. Elle était seulement parvenue à ce qu'il différât d'une journée l'exécution de ses sentences, ce qui parfois, mais rarement, permettait d'en repêcher une. Les hauts et les bas alternaient.

Au début de l'année 1926, il avait terminé. L'État, pour sa part, après diverses péripéties et complications causées par les hésitations et exigences de Monet, avait rempli ses obligations. Près du palais des Tuileries qui n'existait plus, l'Orangerie où devaient être installés *Les Nymphéas*, selon les indications du peintre, était prête à les recevoir. Le plâtre était sec, tout était blanc et propre. Il avait ajouté un codicille au contrat passé avec le gouvernement. *Les Grandes Décorations*, composées d'une cinquantaine de panneaux, chacun d'environ quatre mètres de long sur deux mètres de haut, étaient données par le peintre à l'État, à condition que lui soit achetée une toile de sa collection personnelle, *Femmes au jardin*, et qu'elle soit exposée au Louvre, au cœur de Paris, parmi les chefs-d'œuvre du monde.

Les hauts fonctionnaires des Beaux-Arts ne firent aucune difficulté. Le tableau était admirable, un chef-d'œuvre de l'art français, les robes, les roses, la grâce des jeunes femmes, expression parfaite d'une relation au monde lentement élaborée, merveilleusement épanouie. Les conservateurs pouvaient en parler longuement, faire comprendre la beauté de la peinture, l'extraordinaire technique de l'auteur, l'originalité de son inspiration et de sa manière. Clemenceau, seul, savait que la grande toile figurait Camille trois fois : de face – deux fois – et de profil, et qu'à l'arrière-plan la quatrième figure était la jeune femme aimée de Frédéric. Lui seul savait que, soixante ans auparavant, Frédéric

Bazille avait acquis ce tableau de jeunesse pour que son ami ne meure pas de faim, et qu'il l'avait envoyé chez lui, où ses parents l'avaient fait installer dans un salon de la propriété familiale, sur les hauteurs de Montpellier. Là, au mois de décembre 1870, la nuit précédant son enterrement, sous le tableau, son père et sa mère avaient veillé le corps du jeune sous-lieutenant tué devant Beaune-la-Rolande.

À la fin de l'été 1926, *Les Grandes Décorations* se trouvaient toujours dans l'atelier de Giverny. Monet n'y touchait plus, il venait les voir chaque jour et les contemplait. Il avait prié Clemenceau de faire patienter les ministres et les fonctionnaires qui, ayant satisfait toutes les demandes et caprices du peintre, et fait prendre les dispositions nécessaires, attendaient de pouvoir enfin déposer l'œuvre dans son cadre, l'inaugurer, présenter le musée à la presse et l'ouvrir au public. Monet s'en fichait bien. S'il avait donné son œuvre à la France, ce n'était pas pour les quelques millions d'individus qui portaient le nom de Français aujourd'hui, mais pour le million et demi de jeunes hommes qui n'étaient pas revenus des tranchées, pour ceux qui étaient morts à sa place en 1870, et tous ceux-là, les millions d'hommes et de femmes qui avaient aimé, souffert, travaillé et rêvé sur ce morceau de terre, dans cette partie du monde, pour en faire sous le ciel changeant une des plus belles œuvres humaines, le plus beau des jardins.

Pendant les dernières semaines de sa vie, Monet ne parlait plus de peinture, mais des arbres, du goût des fruits, des dernières floraisons de l'année, des fumées de l'automne qui montaient dans l'air humide. Chaque jour, quand il ne pleuvait pas, Blanche l'accompagnait au bord de l'étang et l'asseyait dans un fauteuil d'osier, un châle sur les épaules. En grinçant, le bois souplement tressé ployait sous lui, recevait son corps devenu léger et anguleux. Il soupirait dans sa barbe jaunie du tabac qu'il ne fumait plus, et ne disait plus rien. Le passage du train de Paris, pour lui, au loin, parlait de l'existence des hommes. Il restait de longues heures, seul, à regarder les jeux des nuages à la surface de l'eau. Quand le froid commençait de le saisir, à pas lents il rentrait. À la fin du mois de novembre, très affaibli, il s'alita et ne se releva plus. Il mourut le 5 décembre, un dimanche, vers une heure de l'après-midi. Trois jours auparavant, Clemenceau était venu à Giverny lui rendre une dernière visite. Le jardin et la maison étaient silencieux, la chambre sentait le tilleul. À son ami qui lui demandait s'il souffrait, il fit signe que non.

Table des matières

Sources

L'auteur a lu, pour la première partie de ce livre, une étude de Jean Richard, *Frédéric Bazille. Itinéraire d'un peintre soldat jusqu'au 28 novembre 1870* et, pour les deux parties suivantes, les essais biographiques de Daniel Wildenstein, *Monet ou le Triomphe de l'impressionnisme* (Taschen, 1999), et de Marianne Alphant, *Monet, une vie dans le paysage* (Hazan, 1993).

Crédits photographiques

PAGE 33

Le Déjeuner sur l'herbe, 1865-1866 (huile sur toile).
Musée Pouchkine, Moscou. © Bridgeman Images.

PAGE 57

Camille, ou *La Femme à la robe verte,* 1866 (huile sur toile).
Camille Doncieux (1847-1879), femme de l'artiste.
Kunsthalle, Bremen. © Bridgeman Images.

PAGE 153

Camille sur son lit de mort, 1879 (huile sur toile).
Musée d'Orsay. © Bridgeman Images.

PAGE 207

Femmes au jardin, 1866 (huile sur toile).
Femmes au jardin à Ville-d'Avray.
Musée d'Orsay. © Bridgeman Images.

CET OUVRAGE A ÉTÉ ACHEVÉ D'IMPRIMER
PAR L'IMPRIMERIE FLOCH À MAYENNE
EN AOÛT 2016 POUR LE COMPTE DE
LA TABLE RONDE.

Dépôt légal : août 2016.
N° d'édition : 310681. [R 1]
N° d'impression : 90019

Imprimé en France.